Y0-AGW-859

УСТАМИ НАРОДА

УЛИЧНЫЕ ПЕСНИ

Москва
«КОЛОКОЛ-ПРЕСС»
2000

ББК 82.3(2)
А26

Составитель
АХМЕТОВА ТАТЬЯНА ВАСИЛЬЕВНА

Художник И.А. Озеров

А26 **Уличные песни**/Сост. Т.В. Ахметова. — М.: Колокол-пресс, 2000. — 478 с.

ISBN 5-7117-0212-2

Эта книга доставит читателям немало приятных минут, подарит редкую возможность вспомнить подчас грустные, подчас озорные, с перчинкой уличные песни, знакомые нескольким поколениям. А то и узнать новые песни, те, что прежде слышать не довелось. Составила сборник профессор Т.В. Ахметова.

ББК 82.3(2)

ISBN 5-7117-0212-2

ЛОДОЧКА БЛАТНАЯ

МУРКА

Кто из вас не знает
Города Одесса?
Там живут бандиты, шулера.
День и ночь гуляют,
Грабят, убивают,
И следят за ними филера.

Ночь стоит глухая,
Только ветер свищет.
В старом парке собрался совет:
Это уркаганы,
Воры, хулиганы
Выбирали свой авторитет.

Речь держала баба,
Звали ее Мурка.
И она красавицей была.
Даже злые урки
Все боялись Мурки.
Воровскую жизнь она вела.

Как-то шли на дело,
Выпить захотелось,
И зашли в шикарный ресторан.
Там она сидела
С агентом отдела,
А из кобуры торчал наган.

Чтоб не шухериться,
Мы решили смыться,
Но за это Мурке отомстить.
Одному из воров
После разговора
Наказали Мурку порешить.

Лешка в ресторане
В тот день напился пьяный
И пошел заданье выполнять.
В темном переулке
Он увидел Мурку
И стал ее тихонько догонять.

«Здравствуй, моя Мурка,
Здравствуй, дорогая!
Отчего к легавым ты ушла?
Что тебе не мило:
Плохо у нас было
Или не хватало барахла?

Раньше ты носила
Лаковые туфли,
Одевалась в шелк и шиншиля.
А теперь ты носишь
Рваные галоши,
И тужурка в штопке у тебя.

Здравствуй, моя Мурка,
Здравствуй, дорогая.
Здравствуй, моя Мурка, и прощай:
Ты зашухерила
Всю нашу малину
И теперь маслину получай!»

А через минуту
Снова выстрел грянул.
И народ взволнованный спешит.
В темном переулке,
Чуть подальше Мурки,
Лешка с своей пушкою лежит.

* * *

Я встретил Валечку на шумной вечериночке,
Среди нас были блатные пареньки.
Глазенки карие, хорошая блондиночка
Зажгла в душе моей бенгальские огни.

Хозяйка вечера, Маруся черноокая,
Чего-то, видно, поставила на стол.
Ослабла Валечка от первой рюмки водочки,
Сестра звала ее: «Пойдем, Валя, домой».

Гитара наша, мандолина, балалаечка,
Фокстрот ударили, и ножки — в переплет.
Обнял ее я чуть повыше талии,
А грудь упругая колышется вперед.

Сестра ушла, а Валечка осталася.
А на часах пробило ровно два.
Я взял ее, повел в другую комнату,
А ночка тихая и темная была.

Я целовал, а сердце мое билося,
От поцелуев кружилась голова.
Не помню, что потом со мной случилося,
Лишь только помню я Валины слова:

«Не трожь меня — я девушка невинная,
Скрывать не стану — всего шестнадцать лет».
Но тут история, скажу вам, очень длинная —
На этот вечер терпенья больше нет.

Резинка лопнула, и трусики спустилися,
Руками сильными бюстгальтер я порвал.
Кровать двуспальная под тяжестью качалася,
И я ей целку навеки поломал.

* * *

Зануда Манька, чего ты задаешься?
Подлец я буду, я тебя узнал.
Я знаю все, кому ты отдаешься.
Косой мне Митька правду рассказал.

Зачем, зануда, желтые ботинки,
Шелка и крепдешины покупал,
Менял порты на ленты и резинки,
Во всем тебе, гадюка, угождал?

Теперь же вся шпана с меня смеется,
И фраером считают все меня.
Косой раз пять на день со мной дерется,
И все, гадючий рот, через тебя.

Вернися, Манька, мы с тобой поладим.
И будем вместе жизнь мы доживать.
Гитару я настрою и сыграю.
С Косым тебе не долго гадовать.

Хавиру тебе новую построю,
И на бану не будешь ты дремать.
Работа тебе будет небольшою:
Мое лишь барахлишко постирать.

А если ж ты, гадюка, не вернешься,
Забудешь на всю жизнь мои слова
И если будешь падать на Косого,
Пеняй тогда, гадюка, на себя.

Зануда Манька, чего ты задаешься?
Подлец я буду, я тебя узнал.
Я знаю все, кому ты отдаешься.
Косой мне Митька правду рассказал.

ДВА ДРУГА

Если есть на свете пламенных два друга,
Так это друг мой и это я.
И мы не сходим вечно с дружеского круга —
Куда товарищ, туда и я.

А на квартире мы не ахнем и не охнем —
Не ахнет друг мой, не охну я.
Хозяйка ждет, когда мы с мухами подохнем —
Подохнет друг мой, за ним и я.

Мы с другом песенку поем одним мотивом —
Поет и друг мой, пою и я.
Одну шалаву мы любили коллективом —
Любил и друг мой, любил и я.

И коллективом мы ходили к этой даме —
Ходил и друг мой, ходил и я.
А денег не было — арапа заправляли —
Заправит друг мой, добавлю я.

А год прошел, дочь родила мамаша.
Ходил ведь друг мой, ходил и я.
Но мы не знаем, кто из нас двоих папаша.
Возможно, друг мой. Только не я.

Потом в милицию служить мы поступили —
Служил и друг мой, служил и я.
За службу верную в тюрьму нас посадили —
Сначала друга, потом меня.

И если есть на свете пламенных два друга,
Так это друг мой и это я.
И мы не сходим вечно с дружеского круга —
Куда товарищ, туда и я.

ЦЫГАНОЧКА АЗА

Молоденький мальчишечка
С дружком на скок ходил,
А через пару годиков
На нары угодил.

Припев
Цыганочка Аза, Аза,
Цыганочка черноглаза,
Черная, фартовая,
На картах погадай.

Сиди, сиди, мальчишечка,
Сиди и не горюй,
А вместо передачи
Соси соленый хуй.

Припев

Дедушка Ельцин,
В рот тебя ебать,
Выпусти на волю —
Не буду воровать.

Припев

Сидел, сидел мальчишечка,
Сидел не горевал,
А вместо передачи
Соленый хуй сосал.

Припев

Сидел, сидел мальчишечка,
Соленый хуй сосал.

А как на волю выбрался,
По новой воровал.

Припев
Цыганочка Аза, Аза,
Цыганочка, блядь, зараза,
Черная, фартовая,
На картах погадай.

ШАРАБАН МОЙ – АМЕРИКАНКА

Бежала я из-под Симбирска,
А в кулаке была записка.

Припев
Эх, шарабан мой — американка,
А я девчонка да шарлатанка.

Один поручик — веселый парень —
Был мой попутчик и был мой барин.

Припев

Вся Молдаванка сошлась на бан:
Там продается мой шарабан.

Припев

Привет ворам-рецидивистам,
И мусорам, и активистам.

Припев

Ты на войне — я на гражданке.
А воры все — на Молдаванке.

Припев

Зачем нам пушки, зачем нам танки,
Когда нас любят на Молдаванке?

Припев

У нас в Одессе шути всерьез:
Здесь дружба — дружбой, а деньги — врозь.

Припев

Я — гимназистка шестого класса.
Денатурат я пью вместо кваса.

Припев

Продам я книги, продам тетради.
Пойду в артистки я греха ради.

Припев

А шарабан мой — американка.
Какая ночь! Какая пьянка!
Хотите — пейте, посуду — бейте,
Мне все равно, мне все равно.

ПРОСТИТУТКА

Не смотрите вы так сквозь прищуренный глаз,
Джентльмены, бароны и леди.
Я за двадцать минут опьянеть не могла
От стакана холодного бренди.

Ведь я — институтка, я — дочь камергера.
Пусть — черная моль, пусть — летучая мышь.
Вино и мужчины — моя атмосфера.
Привет, эмигранты, свободный Париж!

Мой отец в октябре убежать не сумел,
Но для белых он сделал немало.
Срок пришел, и суровое слово «расстрел» —
Прозвучал приговор трибунала.

И вот — проститутка, и — фея из сквера,
И — черная моль, и — летучая мышь.
Вино и мужчины — моя атмосфера.
Привет, эмигранты, свободный Париж!

Я сказала полковнику: «Нате — берите,
Не донской же валютой за это платить!
Только франками, сэр, мне чуть-чуть доплатите.
А все остальное — дорожная пыль».

Ведь я — проститутка, я — фея из сквера,
Я — черная моль, я — летучая мышь.
Вино и мужчины — моя атмосфера.
Привет, эмигранты, свободный Париж!

Только лишь иногда, сняв покров лживой страсти,
Вспоминаю обеты, родимую быль.
И тогда я плюю в их слюнявые пасти,
А все остальное — дорожная пыль.

Ведь я — институтка, я — дочь камергера.
Пусть — черная моль, пусть — летучая мышь.
Вино и мужчины — моя атмосфера.
Привет, эмигранты, свободный Париж!

АЛЕША, ША!

Как-то раз по Ланжерону я брела,
Только порубав на полный ход,
Вдруг ко мне подходят фраера:
Заплати-ка, милая, за счет!

Припев
Алеша, ша! Возьми-ка на полтона ниже!
Брось арапа заправлять!
И не подсаживайся ближе,
Брось Одессу-маму вспоминать!

Если ты посмотришь в сторону одну —
Там курочки хиляют на бану.
А уркаган — наркоман, как один.
С мелодии стекает кокаин.

Припев

Раз какой-то генерал стоял орал,
Он перед шпаною речь держал:
«Я передушу вас всех, как тех мышей!»
В ответ он слышит голос ширмачей:

Припев

Как-то поп с кадилою ходил кадил,
Ширмачам такое говорил:
«Вам хочу, товарищи, я дать совет...»
Товарищи поют ему в ответ:

Припев
Алеша, ша! Возьми-ка на полтона ниже!
Брось арапа заправлять!
И не подсаживайся ближе,
Брось Одессу-маму вспоминать!

ЛИМОНЧИКИ

На вокзале шум и гам,
Слышны разговоры.
Лева ебнул чемодан
И запел «Лимоны».

Припев
Ах, лимончики,
Мои червончики,
Где вы растете,
В каком саду?

Чтоб патент себе достать
Сроком на три года,
Надо срочно объебать
Директора завода.

Припев

Лева ксиву получил,
В ус себе не дует.
Лева лавочку открыл —
Яйцами торгует.

Припев

Лева яйца продавал,
Нажил миллионы,
А потом в кичман попал
Через те лимоны.

Припев
Ах, лимончики,
Мои червончики,
Где вы растете,
В каком саду?

* * *

Когда я был мальчишкой,
Носил я брюки-клеш,
Соломенную шляпу,
В кармане — финский нож.

Я мать свою зарезал.
Отца слегка прибил.
Сестренку-гимназистку
В сортире утопил.

Отец лежит в больнице,
Мать спит в сырой земле.
Сестренка-гимназистка
Купается в говне.

Когда я был мальчишкой,
Носил я брюки-клеш,
Соломенную шляпу,
В кармане — финский нож.

* * *

Когда качаются фонарики ночные,
Когда на улицу опасно выходить,
Я из пивной иду, я ничего не жду
И никого уж не сумею полюбить.

Мне дамы ноги целовали, как шальные.
Одна вдова со мной пропила отчий дом.
А мой нахальный смех всегда имел успех,
Но моя юность раскололась, как орех.

Сижу на нарах как король на именинах
И пайку черного мечтаю получить.
Гляжу, как кот, в окно, теперь мне все равно.
Я ничего уж не сумею изменить.

* * *

Ох, натискал ты, натискал!
Пахнет скверно от вранья.
Рассказал ты свою долю.
Дай теперь совру и я.

Раз пришлось мне как-то летом
В стоге сена ночевать.
Притомился я с дороги,
Стал тихонько засыпать.

Но не тут-то, братцы, было —
Сон нарушили тотчас:
Разговаривают двое
Плюс мужские голоса.

Говорит один другому:
— Ты послушай-ка, браток,
Проигрался в стос проклятый,
И пришлось идти на скок.

Взял фому и долотишко,
Быстро-быстро похилял.
И к пяти часам, как время,
На хавиру приканал.

Прихондрычил на хавиру
И как вкопанный я встал:
За столом четыре черта
В карты резалися там.

Черти тут переглянулись,
Побелели как мука.
Знают черти, что на деле
Не дрожит моя рука.

Я, браток, не фраернулся:
Всех чертей под стол загнал.
Все червончики их слямзил,
К туркам в гости уканал.

В Турции дела неплохи:
По карманам — боже ж мой! —
Кошельков по тридцать на день
Доставал одной рукой.

Турки думали-гадали,
Но придумать не смогли.
Пятьдесят косых собрали
И султану отнесли.

Дал султан со́вет им дельный:
«Чтоб были целы кошельки,
Запирайте вы карманы
На висячие замки».

Все ж и тут я не промазал,
Нигде промаху не дал:
Долото я взял побольше —
Долотом замки сшибал.

Но Россия все же манит:
Я в России родился.
И с пиастрами в кармане
Я в Россию подался.

А в России прямо чудо:
Бабы влопались в меня,
Три куска они давали
Со словами: «Я твоя».

Но в России я споткнулся:
Магазин подкопом брал,
На два кирпича ошибся —
И в уборную попал.

* * *

Нас было пятеро фартовых ребятишек.
И всем барышникам было по барышам.
Из нас четыре докатилися до вышек,
А я на полную катушку намотал.

Была ты девушкой, когда тебя я встретил.
Прошла ты гордо на модных каблуках.
В твоих глазах метался пьяный ветер,
И папироска дымилася в зубах.

Ты подошла ко мне небрежною походкою,
Взяла под руку и сказала мне: «Пойдем».
А поздно вечером споила меня водкою
И завладела моим сердцем, как рулем.

Ведь никогда ж я не был уркаганом.
Ты в уркагана превратила паренька.
Ты познакомила с малиной и наганом.
Как шел на мокрое — не дрогнула рука.

Костюмчик серенький, колесики со скрипом
Я на казенный на бушлатик променял.
За эти восемь лет немало горя мыкал,
И не один на мне волосик полинял.

Я срок разматывал, как лярва, припухая,
Там нары жесткие да пайка триста грамм,
И лишь о том, что было, часто вспоминая, —
Такая жизнь — она положена ворам.

Так что ж стоишь, краснеешь и бледнеешь?
Из-за тебя же я, сука, пострадал.
Беги в легавку, да только не успеешь.
И финский нож под сердце ей вогнал.

Нас было пятеро фартовых ребятишек.
И всем барышникам было по барышам.
Из нас четыре докатилися до вышек,
А я на полную катушку намотал.

ВСЮДУ ДЕНЬГИ

Всюду деньги, деньги, деньги,
Всюду деньги, господа.
А без денег жизнь — до феньки,
Не годится никуда.

Деньги есть, и ты, как барин,
Одеваешься во фрак.
Благороден и шикарен...
А без денег ты — червяк.

Денег нет, и ты как нищий,
День не знаешь, как убить, —
Всю дорогу ищешь, ищешь,
Что бы, братцы, утащить.

Утащить не так-то просто,
Если хорошо лежит.
Ведь не спит, наверно, пес тот,
Дом который сторожит.

Ну а скоро вновь проснешься,
И на нарах, как всегда,
И, кряхтя, перевернешься,
Скажешь: «Здрасьте, господа».

«Господа» зашевелятся,
Дать ответ сочтут за труд,
На решетку помолятся,
На оправку побредут.

Всюду деньги, деньги, деньги,
Всюду деньги, господа.
А без денег жизнь плохая,
Не годится никуда.

* * *

Мы познакомились на клубной вечериночке.
Картина шла у нас тогда «Багдадский вор».
Глазенки карие и желтые ботиночки
Зажгли в душе моей пылающий костер.

Не знал тогда, что ты с ворами связана,
Не знал тогда — красиво любишь жить.
Но все тогда, что нами было сказано,
Умела в злую шутку обратить.

Я не заметил, как зажегся страстию.
Я не заметил, как увяз в грязи.
Прошло полгода — с воровскою мастию
Вперед я двинулся по новому пути.

Я воровал и жил красиво, весело,
По ресторанам широко гулял.
Но вот однажды на малине вечером
Мне про тебя все кореш рассказал.

Нет, не меня любила ты, продажная.
Нет, не со мной в мечтах своих была.
Мне отдавалась целиком ты ночью каждою,
А днем за деньги со стариком жила.

Я взял наган, надел реглан красивый.
Вошел, тихонько двери отомкнув.
Наган увидела ты — и твой взор тоскливый
Меня как будто под руку толкнул.

Не помню, как бежал и как я падал,
Не помню, где и с кем я водку пил.
А помню только, как я горько плакал
И наше танго бесконечно заводил.

Мы познакомились на клубной вечериночке.
Картина шла у нас тогда «Багдадский вор».
Глазенки карие и желтые ботиночки
Зажгли в душе моей пылающий костер.

ГОП-СО-СМЫКОМ

Родился на Подоле Гоп-со-смыком,
Славился своим басистым криком.
Глотка была прездорова,
И ревел он, как корова.
Вот каков был парень Гоп-со-смыком.

Гоп-со-смыком — это буду я.
Граждане, послушайте меня:
Ремеслом избрал я кражу,
Из тюрьмы я не вылажу.
Исправдом скучает без меня.

Сколько бы я, братцы, ни сидел,
Не было такого, чтоб не пел:
Заложу я руки в брюки
И пою романс от скуки —
Что тут будешь делать, если сел!

Если ж дело выйдет очень скверно,
То меня убьют тогда, наверно.
В рай же воры попадают
(Пусть все честные то знают) —
Их там через черный ход впускают.

В раю я на работу тоже выйду.
Возьму с собой отмычку, шпаер, выдру.
Деньги нужны до зарезу,
К Богу в гардероб залезу —
Я его на много не обижу.

Бог пускай карманы там не греет.
Что возьму, пускай не пожалеет.
Вижу с золота палаты,

На стене висят халаты.
Дай нам Бог иметь, что Бог имеет.

Иуда Искариот в раю живет
Скрягой меж святыми он слывет.
Ох, подлец тогда я буду,
Покалечу я Иуду —
Знаю, где червонцы он берет!

* * *

Тихо лаяли собаки
В затухающую даль.
Я явился к вам во фраке,
Элегантный как рояль.

Вы лежали на диване,
Двадцати неполных лет.
Молча я сжимал в кармане
Леденящий пистолет.

Обращенный книзу дулом,
Сквозь карман он мог стрелять.
Я все думал, думал, думал:
Убивать? Не убивать?

Было холодно и мокро,
Тени жались по углам...
Обливали слезы стекла,
Как герои мелодрам.

Я от сырости и лени
Превозмочь себя не мог.
Вы упали на колени
У моих красивых ног.

Дым! Огонь! Сверкнуло пламя!
Ничего теперь не жаль...
Я лежал к двери ногами,
Элегантный как рояль.

* * *

Москва золотоглавая,
Звон колоколов,
Царь-пушка державная,
Аромат пирогов.

Конфетки-бараночки,
Словно лебеди саночки,
Эй, вы, кони залетные,
Слышен звон с облучка.

Гимназистки румяные,
От мороза чуть пьяные,
Грациозно сбивают
Рыхлый снег с каблучка.

Помню тройку удалую,
Вспышки дальних зарниц,
Твою позу усталую,
Трепет длинных ресниц.

Все прошло, все умчалося
В невозвратную даль.
Ничего не осталося,
Лишь тоска да печаль.

Конфетки-бараночки,
Словно лебеди саночки,
Эй, вы, кони залетные,
Слышен звон с облучка.

Гимназистки румяные,
От мороза чуть пьяные,
Грациозно сбивают
Рыхлый снег с каблучка.

* * *

Мчится, мчится скорый поезд
Ереван—Баку.
Я лежу на верхней полке
И как будто сплю.

Припев
Тарара-рачч, тарара-рачч,
Тарара-рачч, тачч, тачч, тачч, тачч.
Тарара-рачч, тарара-рачч,
Тарара-рачч, тачч, тачч, тачч, тачч.

В темноте я замечаю
Чей-то чемодан.
Сердце радостно забилось:
Что-то было там!

Припев

Совершаю преступленье —
Лезу в чемодан.
Там лежит кулек печенья
И какой-то хлам.

Припев

Чемодан не удержался —
С полки полетел
И какого-то грузина
По носу задел.

Припев

Там кричат: «Держите вора!»,
Там кричат: «Тикай!»,

Там кричат: «Из жопы ноги
С корнем вырывай!»

Припев

Меня выбросили с ходу
Прямо под откос.
Поломал я руки, ноги,
Поцарапал нос.

Припев

Сука буду, не забуду
Этот паровоз:
От Баку до Еревана
На карачках полз.

* * *

Я с детства был испорченный ребенок,
На папу и на маму не похож.
Я женщин уважал чуть не с пеленок.
Эй, Жора, подержи мой макинтош!

Друзья, давно я женщину не видел.
Так чем же я мужчина не хорош?
А если я кого-нибудь обидел —
Эй, Жора, подержи мой макинтош!

Я был ценитель чистого искусства,
Которого теперь уж не найдешь.
Во мне горят изысканные чувства.
Эй, Жора, подержи мой макинтош!

Мне дорог Питер и Одесса-мама.
Когда ж гастроли в Харькове даешь,
Небрежно укротишь любого хама.
Эй, Жора, подержи мой макинтош!

Пусть обо мне романы не напишут.
Когда ж по Дерибасовской идешь,
Снимают урки шляпы, лишь заслышат:
«Эй, Жора, подержи мой макинтош!»

БУБЛИКИ

Ночь надвигается,
Фонарь качается,
Мильтон ругается
В ночную мглу.
А я, немытая,
Тряпьем прикрытая,
Всеми забытая,
Здесь на углу.

Купите бублики
Для всей республики,
Гоните рублики
Сюда скорей.
И в ночь ненастную
Меня, несчастную —
Торговку частную, —
Всяк пожалей.

Отец мой — пьяница,
За рюмкой тянется,
Он пьет и чванится,
А брат мой — вор.
Сестра гулящая,
Совсем пропащая,
А мать курящая,
Какой позор!

Купите бублики
Для всей республики,
Гоните рублики
Сюда скорей.
И в ночь ненастную
Меня, несчастную —
Торговку частную, —
Всяк пожалей.

Инспектор с папкою
Да с толстой палкою
Все нахваляется
Забрать патент.
А я не местная,
Всем неизвестная,
И без патента я
Сгорю в момент.

Купите бублики
Для всей республики,
Гоните рублики
Сюда скорей.
И в ночь ненастную
Меня, несчастную —
Торговку частную, —
Всяк пожалей.

Сказал мне Сенечка:
«Не плачь ты, Фенечка,
Пожди маленечко —
Мы в загс пойдем».
И жду я с мукою,
С тоской и скукою,
Когда с разлукою
Навек порвем.

Купите бублики
Для всей республики,
Гоните рублики
Сюда скорей.
И в ночь ненастную
Меня, несчастную —
Торговку частную, —
Всяк пожалей.

* * *

Раз в Лиховском переулке
Там убитого нашли.
Был он в кожаной тужурке,
Восемь ран на груди.

На столе лежит покойник,
Ярко свечечки горят.
Это был убит налетчик.
За него отомстят.

Не прошло и недели —
Слухи так и пошли,
Что в Лиховском переулке
Двух легавых нашли.

Забодали тужурки,
Забодали штаны.
И купили самогонки
На помин их души.

Раз в Лиховском переулке
Там убитого нашли.
Был он в кожаной тужурке,
Восемь ран на груди.

* * *

Когда с тобой мы встретились, черемуха цвела
И в старом парке музыка играла.
И было мне тогда еще совсем немного лет,
Но дел успел наделать я немало.

Лепил я скок за скоком. Наутро для тебя
Кидал хрусты налево и направо.
А ты меня любила и часто говорила,
Что жизнь блатная хуже, чем отрава.

Но дни короче стали, и птицы улетали
Туда, где вечно солнышко смеется.
И с ними улетело мое счастье навсегда,
И понял я — оно уж не вернется.

Я помню, как с фаршмаком была ты на скверу,
А он, бухой, обняв тебя рукою,
Тянулся целоваться, просил тебя отдаться...
А ты в ответ кивала головою.

Во мне все помутилось и сердце так забилось!
И я, как этот фраер, закачался,
Не помню, как попал в кабак,
И там кутил, и водку пил,
И пьяными слезами обливался.

Однажды ночкой темною я встал им на пути.
Узнав меня, ты сильно побледнела.
Его я попросил в сторонку отойти.
И сталь ножа зловеще заблестела.

Потом я только помню, как мелькали фонари
И мусора кругом в саду свистели.
Всю ночь я прошатался у причалов до зари,
А в спину мне глаза твои глядели.

Когда вас хоронили, ребята говорили,
Все плакали, убийцу проклиная.
А дома я один сидел, на фотокарточку глядел —
С нее ты улыбалась, как живая.

Любовь свою короткую хотел залить я водкою
И воровать боялся, как ни странно.
Но влип в затею глупую, и как-то опергруппою
Был взят я на бану у ресторана.

Сидел я, срок прикидывал — от силы пятерик, —
Когда внезапно всплыло это дело.
Пришел ко мне Шапиро, защитник мой, старик,
Сказал: «Не миновать тебе расстрела».

Потом меня постригли, костюмчик унесли.
На мне теперь тюремная одежда.
Квадратик неба синего и звездочка вдали
Сияют мне, как слабая надежда.

А завтра мне зачтется последний приговор,
И скоро, детка, встретимся с тобою.
А утром поведут меня на наш тюремный двор,
И там глаза навеки я закрою.

* * *

Я родился на Волге, в семье батрака.
От семьи той следа не осталось.
Мать безумно любила меня, чудака,
Но судьба мне ни к черту досталась.

Был в ту пору совсем я хозяин плохой,
Не хотел ни пахать, ни портняжить,
А с веселой братвой, по прозванью блатной,
Приучился по свету бродяжить.

Помню я, как встречались мы в первые дни, —
Я с ворами сходился несмело.
Но однажды меня пригласили они
На одно разудалое дело.

Помню — ночь, темнота, можно выколоть глаз.
Но ведь риск — он для вора обычай.
Поработали мы ну не больше чем час,
И, как волки, вернулись с добычей.

А потом загуляла, запела братва.
Только слышно баян да гитару.
Как весной зелена молодая трава! —
Полюбил я красивую шмару.

Ну и девка была — глаз нельзя оторвать!
Точно в сказке ночная фиалка.
За один только взгляд рад полжизни отдать,
А за ласки — и жизни не жалко.

Одевал, раздевал и ходил как шальной,
Деньги тратил направо, налево.
Но забрали меня темной ночкой одной
За одно развеселое дело.

Заклинаю вас, судьи, и вас, прокурор:
Не судите сплеча подсудимых.
Час, быть может, пробьет — будет стыд и позор,
И вас тоже возьмут у любимых.

Я родился на Волге, в семье батрака.
От семьи той следа не осталось.
Мать безумно любила меня, чудака,
Но судьба мне ни к черту досталась.

СЫН РАБОЧЕГО

Я — сын рабочего, подпольного партийца.
Отец любил и мною дорожил.
Но извела его проклятая больница.
Туберкулез его в могилу положил.

И вот, оставшись без отцовского надзора,
Я бросил мать, а сам на улицу пошел.
И эта улица дала мне кличку вора,
И до решетки я не помню, как дошел.

А там пошло, по плану и без плана.
И в лагерях успел не раз я побывать.
А в тридцать третьем, с окончанием Канала,
Решил навеки я с преступностью порвать.

Приехал в город, позабыл его названье,
Хотел на фабрику работать поступить,
Но мне сказали, что отбыл я наказанье,
И посоветовали адрес позабыть.

И так шатался я от фабрики к заводу.
Повсюду слышал я один лишь разговор.
Так для чего ж я добывал себе свободу,
Когда по-прежнему, по-старому я — вор?!

* * *

Плыви ты, наша лодочка блатная,
Куда тебя течением несет.
А воровская жизнь — она такая:
От тюрьмы ничто нас не спасет.

Воровка никогда не станет прачкой.
А жулик не подставит лямке грудь.
Грязною тачкой руки пачкать? —
Перекурим это как-нибудь.

Дом наш стоит на самом крае Волги.
А наша жизнь по камешкам течет.
И пусть бы только сидеть не долго —
От тюрьмы ничто нас не спасет.

Плыви ты, наша лодочка блатная,
Куда тебя течением несет.
А воровская жизнь — она такая:
От тюрьмы ничто нас не спасет.

* * *

Соколовский хор у «Яра»
Был когда-то знаменит.
Соколовская гитара
До сих пор в ушах звенит.

Тройки лихо мчались к «Яру»,
Сердце рвалось на простор,
Чтоб забыться под гитару,
Услыхать цыганский хор.

Там была цыганка Аза.
Запоет — прощай печаль!
Жизнь прекрасней станет сразу,
Все за жизнь отдать не жаль.

Но судьба не пощадила,
Ведь она порою зла —
Как-то Аза простудилась
И, бедняжка, умерла.

В этот день все гости «Яра»
Не могли вина не пить.
Соколовская гитара
Не могла развеселить.

Соколов не вынес муки —
Больше всех по ней тужил, —
Взял свою гитару в руки,
Пополам переломил.

И теперь приедешь к «Яру» —
Грусть-тоска тебя возьмет:
Соколовская гитара
Никогда уж не споет.

* * *

Выпьем за мировую,
Выпьем за жизнь блатную:
Рестораны, карты и вино.
Вспомним Марьяну с бана,
Карманника Ивана,
Чьи науки знаем мы давно.

Ворье Ивана знало,
С почетом принимало,
Где бы наш Ванюша ни бывал —
В Киеве, Ленинграде,
Москве и Ашхабаде, —
Всюду он покупки покупал.

Взгляните утром рано —
Вам не узнать Ивана:
С понтом на работу он спешит,
Шкары несет в портфеле —
Мастер в своем он деле.
Будет им, пока не залетит.

Шкары он надевает,
Когда жуликом бывает,
А когда ворует — макинтош.
Если ж грабит, раздевает,
Он перчатки надевает —
Нашего Ванюшку не возьмешь!

Если ж в камеру заходит,
Разговор такой заводит:
«Любо на свободе, братцы, жить!
Свободу вы любите,
Свободой дорожите,
Научитесь вы ее ценить!»

А когда домой приходит,
То по новой все заводит:
Курит, пьет, ворует — будь здоров!
Легавых за нос водит,
С девчонками ночь проводит
И карманы чистит фраеров.

Однажды он дело двинул:
Пятьсот косых он вынул —
Долго караулил он бобра.
Купил себе машину,
Катал красотку Зину,
С шиком выезжал он со двора.

Долго он с ней катался,
Долго он наслаждался.
Но однажды с ним стряслась беда:
Вместе с своей машиной,
Вместе с красоткой Зиной
Навернулся с нашего моста.

Играй, гармонь, звончее,
Играй же веселее —
Сегодня закрывается кичман.
Если ж вы все блатные,
Будьте вы все такие,
Как ростовский жулик был Иван.

Выпьем за мировую,
Выпьем за жизнь блатную:
Рестораны, карты и вино.
Вспомним Марьяну с бана,
Карманника Ивана,
Чьи науки знаем мы давно.

* * *

Жили-были два громилы:
Один я, другой Гаврила,
Жили-были, поживали,
Баб барали, водку жрали.

Раз заходим в ресторан:
Гаврила в рыло, я в карман,
Баки рыжие с руки,
А потом на них кутить.

Но не долго мы гуляли,
Мусора нас повязали.
Быстро дело создают
И ведут в народный суд.

Там по центру судья строгий.
Мы ему с Гаврилой в ноги,
Но подняли чин по чину,
Дали в шею, дали в спину.

А налево прокурор.
По натуре он — что вор.
Он не хочет нас понять,
Хочет срок нам припаять.

Вот защитничек встает
И такую речь ведет:
«Чтоб на душу грех не брать,
Я прошу вас оправдать».

Но не тут-то, братцы, было:
Намотали нам с Гаврилой.
Не ходить нам в ресторан,
Не шмонать чужой карман.

* * *

Кыш вы, шкеты, под вагоны!
Кондуктор сцапает вас враз.
Едем мы, от грязи черные,
А поезд мчит Москва—Кавказ.

Припев
Свисток, гудок, стук колес —
Полным ходом идет паровоз,
А мы без дома, без гнезда —
Шатия беспризорная.
Эх, судьба, моя судьба,
Ты — как кошка черная!

Гляньте, братцы, за вагоном
С медным чайником идут!
С беспризорною братвою
Поделись, рабочий люд!

Припев

Мы играем без игрушек,
Дашь — так сразу подберем,
А из собранных полушек
Черной картой банк метнем.

Припев

Впереди в вагоне мягком
Едет с дочкою нэпман.
Как бы нам на полустанке
Заглянуть в его карман!

Припев

«Посмотри, какой чумазый,
Лишь блестят одни глаза!»
«Едешь ты в вагоне мягком,
А я на оси колеса».

Припев

«Отчего так бельма пялю —
Где тебе, дурехе, знать.
Ты мою сестренку Валю
Мне напомнила опять».

Припев

«У нее твой голос звонкий
И глаза совсем твои...»
«Ну, а где твоя сестренка?»
«Скорый поезд задавил».

Припев

«Ну а мамка где?» — «Не знаю.
Потерял с недавних пор.
Мамка мне трава густая,
Батька — ветер да костер».

Припев
Свисток, гудок, стук колес —
Полным ходом идет паровоз,
А мы без дома, без гнезда —
Шатия беспризорная.
Эх, судьба, моя судьба,
Ты — как кошка черная!

ЧУБЧИК

Чубчик, чубчик, чубчик кучерявый,
Разве можно чубчик не любить?!
Раньше девки чубчик так любили
И теперь не могут позабыть.

Бывало, шапку наденешь на затылок,
Пойдешь гулять, гулять по вечеру...
Из-под шапки чубчик так и вьется,
Так и вьется, бьется на ветру.

Сам не знаю, как это случилось,
Тут, ей-право, с попом не разберешь:
Из-за бабы, лживой и лукавой,
В бок всадил товарищу я нож.

Пройдет зима, настанет лето,
В садах деревья пышно расцветут...
А меня, да бедного мальчишку,
Ох, в Сибирь на каторгу сошлют.

Но я Сибири, Сибири не страшуся —
Сибирь ведь тоже — Русская земля!
Так вейся ж, вейся, чубчик кучерявый,
Эх, развевайся, чубчик, у меня!

МАСЛИЦЕ

На Подоле, на углу,
В домике портного,
Родилося три еврея:
Йоська, Мойша, Лева.

Припев
Ох, маслице,
Азохн вей!
Не было бы масла —
Не жил бы еврей.

Раз на киевском бану
Угол вертанули.
Не успели улизнуть —
В КПЗ замкнули.

Припев

Как сидели в КПЗ,
Масла не видали.
За неделю три еврея
Фитилями стали.

Припев

Видит Йоська — старший брат:
Дело пахнет дрянью.
Взял все дело на себя —
Вытащил братанов.

Припев

Вышел Мойша с КПЗ,
Взял свои отмычки,

И пошел он скок лепить
По старой привычке.

Припев

Вышел Лева с КПЗ —
Больше не ворует:
На Подоле, на углу,
Маслицем торгует.

Припев
Ох, маслице,
Азохн вей!
Не было бы масла —
Не жил бы еврей.

ДЕНЕЖКИ

Что, друзья, со мной случилось, боже мой, —
Вся семья моя взбесилась, боже мой.
Денег просят в один голос, боже мой,
Поседел на мне весь волос, боже мой!

Припев
Денежки, как я люблю вас, мои денежки,
Вы свет и радость, мои денежки, приносите с собой.
И ваше нежное шуршание приводит сердце в трепетание.
Вы лучше самой легкой музыки приносите покой!

А жена моя такая, боже мой, —
И врагам не пожелаю, боже мой.
Ей мала квартира стала, боже мой.
У меня волос не стало, боже мой!

Припев

А сынок наш, милый Толик, боже мой,
Вырастает алкоголик, боже мой.
Дочь семье грозит абортом, боже мой,
Деньги тянет, как насосом, боже мой!

Припев
Денежки, как я люблю вас, мои денежки,
Вы свет и радость, мои денежки, приносите с собой.
И ваше нежное шуршание приводит сердце в трепетание.
Вы лучше самой легкой музыки приносите покой!

* * *

По приютам я с детства скитался,
Не имея родного угла.
Ах, зачем я на свет появлялся,
Ах, зачем меня мать родила?!

А когда из приюта я вышел
И пошел поступать на завод,
Меня мастер по злобе не принял
И сказал, что не вышел мне год.

И пошел я, мальчишка, скитаться,
И карманы я начал шмонать:
По чужим, по буржуйским карманам
Стал рубли и копейки щипать.

Осторожный раз барин попался —
Меня за руку крепко поймал,
А судья — он не стал разбираться
И в Литовский меня закатал.

Из тюрьмы я, мальчишка, сорвался,
И опять не имел я угла...
Ах, зачем я на свет появлялся,
Ах, зачем меня мать родила?!

ГОП-СО-СМЫКОМ

Родился я у беса под забором.
Крестили меня черти косогором.
Старый леший с бородою
Взял облил меня водою,
Гоп-со-смыком он меня назвал.

Гоп-со-смыком — это буду я.
Это будут все мои друзья.
Залетаем мы в контору,
Говорим мы: «Руки в гору,
А червонцы выложить на стол!»

Скоро я поеду на Луну.
На Луне найду себе жену.
Пусть она коса, горбата,
Лишь червонцами богата,
За червонцы я ее люблю.

Со смыком я родился и подохну
Когда умру, так даже и не охну
Лишь бы только не забыться,
Перед смертью похмелиться,
А потом, как мумия, засохну.

Что мы будем делать, как умрем?
Все равно мы в рай не попадем.
А в раю сидят святые,
Пьют бокалы наливные,
Я такой, что выпить не люблю.

Родился я у беса под забором.
Крестили меня черти косогором.
Старый леший с бородою
Взял облил меня водою,
Гоп-со-смыком он меня назвал.

* * *

Пропадай, моя жизнь невеселая.
Счастья нет у меня впереди,
А тоска, как могила, тяжелая
Поселилась в усталой груди.

Припев
Эх, была не была! Что кручиниться!
Все равно только раз умирать!
Так под песню разгульную, вольную
Будем пить, и любить, и мечтать!

Ты сыграй мне, цыган, на гитаре
И, как прежде, мне песню пропой —
От вина и от песен в угаре,
Хоть на миг я забудусь с тобой.

Припев

Ну так что, если буду послушен я?
От судьбы все равно не уйдешь.
Но к ударам судьбы равнодушен я —
Нет любви — да и так проживешь.

Припев

Соберемся в кружок мы теснее,
Кого нет среди нас, помянем
И, наполнив бокалы полнее,
Еще раз нашу песню споем.

Припев
Эх, была не была! Что кручиниться!
Все равно только раз умирать!
Так под песню разгульную, вольную
Будем пить, и любить, и мечтать!

* * *

Надену я черную шляпу,
Поеду я в город Анапу
И там всю жизнь пролежу
На соленом, как вобла, пляжу.

Лежу на пляжу я и млею,
О жизни своей не жалею.
И пенится берег морской
Со своей неуемной тоской.

Перспективы на жизнь очень мрачные,
Я решу наболевший вопрос:
Я погибну под поездом дачным,
Улыбаясь всем между колес.

Раскроется злая пучина,
Погибнет шикарный мужчина.
И дамы, увидевши гроб,
Поймут, что красавец усоп.

Останется черная шляпа,
Останется город Анапа,
Останется берег морской
Со своей неуемной тоской.

* * *

Жил я, бедный каланча,
На копейка бедный,
Мало кушал, мало пил
И ходил я бледный.

Никуда я не ходил:
Ни в кино, ни в цирка,
Потому что в мой карман
Был большая дырка.

Я придумал адин штук —
Как мне быть с деньгами —
И пошел адин туда,
Где гуляют дамы.

Я увидел адин дам —
Шел она под горка.
Я, как вежливый грузин,
Начал разговорка.

«Вы красивая, мадам, —
Можно в вас влюбляться.
Так садимся на трамвай —
Будем покататься».

И пока я обнимал,
Целовал ей ножка,
Из кармана я украл
Кошелек и брошка.

И пошел она домой
Бледный, как сметана.
Только ветер погулял
По пустой кармана.

И тогда я стал ходить
И в кино, и в цирка,
Потому что в мой карман
Залатался дырка.

ПАРЕНЬ В КЕПКЕ И ЗУБ ЗОЛОТОЙ

Есть в скверу ресторанчик отличный.
Скучно-грустно в нем Лильке одной.
Вот зашел паренек симпатичный
В кепке набок и зуб золотой.

«Разрешите мне, милая дама,
Ваш нарушить приятный покой» —
Так сказал, к ней направившись прямо,
Парень в кепке и зуб золотой.

Часто Лилька там парня встречала.
Заимела там Лилька дружка.
Но ему ничего не сказала,
Что была по заданью ЧК.

Так встречались они понемногу...
Но налет был на банк городской,
И в погоне был раненный в ногу
Парень в кепке и зуб золотой.

Тут мильтоны его повязали
И хотели узнать, кто такой,
Долго били его и пытали,
А он только мотал головой.

И взбешенный начальник кичмана
Лильке пишет приказ боевой:
Порешить поскорей уркагана
В кепке набок и зуб золотой.

Лилька сразу лишилась покоя,
Вспомнив встречи и маленький сквер.
Но своей пролетарской рукою
Она молча взяла револьвер.

Она камеры дверь отворила
И нажала курок спусковой:
Грохнул выстрел — и кепка свалилась,
Пулей вышибло зуб золотой.

Есть в скверу ресторанчик отличный.
Скучно-грустно в нем Лильке одной.
Не зайдет паренек симпатичный
В кепке набок и зуб золотой.

ПОМНИШЬ, КУРНОСАЯ

Помнишь, курносая, бегали босые,
Мякиш кроша голубям?
Годы промчались, и мы повстречались,
Любимой назвал я тебя.

Ты полюбила меня не за денежки,
Что я тебе добывал.
Ты полюбила меня не за это,
Что кличка моя уркаган.

Помню, зашли ко мне двое товарищей,
Звали на дело, маня.
Ты у окошка стояла и плакала
И не пускала меня.

«Знаешь, любимый, теперь очень строго.
Слышал про новый закон?»
«Знаю, все знаю, моя дорогая, —
Он в августе был утвержден».

Я не послушал тебя, дорогая, —
Взял из комода наган.
Вышли на улицу трое товарищей —
Смерть поджидала нас там.

Помнишь, курносая, бегали босые,
Мякиш кроша голубям?
Годы промчались, и мы повстречались,
Любимой назвал я тебя.

* * *

В осенний день, бродя как тень,
Зашел я в первоклассный ресторан.
Но там прием нашел холодный —
Посетитель я негодный:
У студента вечно пуст карман.

Официант — какой-то франт
В сиянье накрахмаленных манжет.
Он подошел, шепнул на ушко:
«Здесь, приятель, не пивнушка,
Для таких, как ты, здесь места нет».

А год спустя, за это мстя,
Я затесался в дивный синдикат.
И, подводя итог итогу,
Стал на новую дорогу,
И надел шкарята без заплат.

Официант — все тот же франт —
В клиенте каждом понимает толк.
Он подошел ко мне учтиво,
Подает мне пару пива,
Предо мной вертится как волчок.

Кричу я в тон: «Хэлло, гарсон!»,
В отдельный кабинет перехожу я.
Эй, приглашайте мне артистов,
Скрипачей, саксофонистов.
Вот теперь себя вам покажу я.

Сегодня — ты, а завтра — я.
Судьба-злодейка ловит на аркан.
Сегодня пир даю я с водкой,
Завтра снова за решеткой.
Запрягаю вечный шарабан.

А шарабан мой — американка.
Какая ночь! Какая пьянка!
Друзья, танцуйте, пойте, пейте,
А надоест — посуду бейте.
Я заплачу. За все плачу!

* * *

Мчится поезд на закате.
Горы за окном.
На чудесном Арарате
Снег лежит кругом.
Горы слева, горы справа —
Чудные места.
Джан Армения родная —
Просто красота.

Припев
И, звуками играя,
Об этом поет зурна.
Так вот она какая,
Армения-страна!

На базаре в Ереване
Слышен звук свирель.
Мы на озере Севане
Кушали форель.
И коньяк душистый, сладкий
Пили там и тут.
Голова вполне в порядке,
Ноги не идут.

Припев

На вокзале в Ереване
Подошла краса.
Это Кнарик, как фонарики
У нее глаза.
Красоты такой, походки
В мире не сыскать.
Я не сплю вторые сутки,
Мой товарищ — пять.

Припев
И, звуками играя,
Об этом поет зурна.
Так вот она какая,
Армения-страна!

* * *

Опали листья, пришла пора жестокая.
Я хода времени не в силах удержать.
Стучится в двери старость одинокая,
И некому бродягу приласкать.

А мое сердце безудержно, словно птица,
То затрепещет, то забьется, то замрет.
Неужели сердцу тоже старость снится
И зовет в последний перелет?

Ах, эти стуки да и эти перебои,
И на подъем мы нынче стали нелегки...
Так неужели, друг мой, мы с тобою
И в самом деле стали старики?!

СИЖУ НА НАРАХ

ТАГАНКА

Цыганка с картами: дорога дальняя,
Казенный дом меня давно зовет...
Быть может, старая тюрьма центральная
Меня, несчастного, по новой ждет.

Припев
Таганка! Все ночи полные огня.
Таганка! Зачем сгубила ты меня?
Таганка, я твой бессменный арестант,
Погибли юность и талант в твоих стенах.

Прекрасно знаю и без гадания:
Решетки толстые мне суждены.
Опять по пятницам пойдут свидания
И слезы горькие моей жены.

Припев

Прощай же, милая, прощай, желанная,
Ступай же, деточка, своей тропой.
И пусть останется глубокой тайною,
Что и у нас была любовь с тобой.

Припев
Таганка! Все ночи полные огня.
Таганка! Зачем сгубила ты меня?
Таганка, я твой бессменный арестант,
Погибли юность и талант в твоих стенах.

* * *

Как в Ростове-на-Дону
Я первый раз попал в тюрьму,
На нары, брат, на нары, брат, на нары.

Какой я был тогда дурак,
Надел ворованный пиджак
И шкары, брат, и шкары, брат, и шкары.

Вот захожу я в магазин,
Ко мне подходит гражданин,
Легавый, брат, легавый, брат, легавый.

Он говорит: такую мать,
Попался, парень, ты опять,
Попался, брат, попался, брат, попался.

Лежу на нарах, блох ищу,
Картошку чистить не хочу.
Свобода, брат, свобода, брат, свобода.

Один вагон набит битком,
А я, как курва, с котелком
По шпалам, брат, по шпалам, брат, по шпалам.

* * *

В Ростове как-то на-Дону
Однажды я попал в беду —
На нары, бля, на нары, бля, на нары.
Сижу на нарах и грущу,
Блоху за пазухой ищу —
Кусает, бля, кусает, бля, кусает.

Но вот амнистия пришла
И нам свободу принесла,
Свободу, бля, свободу, бля, свободу.
Кто с чемоданом, кто с мешком,
А я, как сука, с котелком —
По шпалам, бля, по шпалам, бля, по шпалам.

Скажи, какой я был дурак, —
Надел ворованный пиджак
И шкары, бля, и шкары, бля, и шкары!
И в этом самом пиджаке
Меня попутал в кабаке
Легавый, бля, легавый, бля, легавый.

Он говорит: «Ебёна мать!
Попался сука, курва, блядь,
Попался, бля, попался, бля, попался!»
Потом меня он поволок
И всю дорогу чем-то в бок
Ширяет, бля, ширяет, бля, ширяет.

И вот я снова за стеной,
И вновь параша предо мной
И нары, бля, и нары, бля, и нары.
А за окошком фраера
Всю ночь гуляют до утра —
Кошмары, бля, кошмары, бля, кошмары!..

* * *

Солнце всходит и заходит,
А в тюрьме моей темно.
Дни и ночи часовые
Стерегут мое окно.

Как хотите стерегите,
Я и так не убегу.
Хоть мне хочется на волю,
Цепь порвать я не могу.

Не гулять мне, как бывало,
По широким по полям.
Моя молодость пропала
По острогам и тюрьмам.

Солнца луч уж не заглянет,
Птиц не слышны голоса.
Мое сердце тихо вянет,
Не глядят уже глаза.

Солнце всходит и заходит,
А в тюрьме моей темно.
Дни и ночи часовые
Стерегут мое окно.

* * *

Отворите окно! Отворите!..
Мне не долго осталося жить.
Хоть теперь на свободу пустите,
Не мешайте страдать и любить!
Горлом кровь показалась. Весною
Хорошо на родимых полях,
Будет небо сиять надо мною,
И потонет могила в цветах.

Сбросьте цепи мои. Из темницы
Выносите на свет, на простор.
Как поют перелетные птицы!
Как шумит зеленеющий бор!
Выше, выше, смолистые сосны!
Все растет под сиянием дня.
Только цепи-колодки несносны —
Не душите, не мучьте меня!..

То ли песня вдали прозвенела,
Что певала мне родная мать?!
Холодеет душа и тело,
Гаснет взор, мне не долго страдать!
Схороните меня! Схороните,
Я прошу вас, в могиле моей!
Отворите окно! Отворите!
Сбросьте цепи с меня поскорей!..

* * *

Сижу я — цельный день скучаю,
В окно тюремное гляжу.
А слезы катятся — я их не замечаю —
По исхудалому лицу.

Сижу я цельный день в халате
И прячу руки в рукава.
На мне ушанка порвана, на вате,
Чтоб не зазябла голова.

А не ходи ты перед тюрьмою,
Меня не мучь день ото дня.
Катись ты на хер со своей мандою
И даже дальше от меня.

Сижу я цельный день скучаю,
В окно тюремное гляжу.
А слезы катятся — я их не замечаю —
По исхудалому лицу.

ДАЙТЕ МНЕ СВОБОДУ УВИДАТЬ!

То не ветер в полумраке тонет,
То не плачет об убитом мать...
Это в одиночке друг мой стонет:
«Стража, не могу я больше ждать!
Стража, стража, не могу я больше ждать.
Дверь моей темницы отворите,
Дайте мне свободу увидать!»

Я упал на нары, сердце билось,
Вспомнил дом и загрустил опять.
А из одиночки доносилось:
«Стража, не могу я больше ждать!
Стража, стража, не могу я больше ждать.
Дверь моей темницы отворите,
Дайте мне свободу увидать!»

Он затих под утро с жутким воем,
Цирик зазевался у глазка.
Через час с разбитой головой
Труп нашли последнего дружка.
«Стража, стража, не могу я больше ждать.
Дверь моей темницы отворите,
Дайте мне свободу увидать!»

* * *

Я сижу в кабинете и вижу с тоской
Во дворе милицейские «Волги».
Вспоминаются годы, что были с тобой,
Только как же те годы недолги!

А теперь впереди время черной тоски,
От него не сбежать и не скрыться.
От судьбы не уйдешь, и судьбе ты не лги;
Мне слезами хотя бы залиться.

Так хотелось бы выплакать горькую боль,
Что давно мою душу терзает.
И найти бы забвенье, найти бы,
Ну за что меня Бог так карает?

Я прощаюсь с тобой, город мой Ленинград,
Только сердцу забыть не прикажешь.
Буду помнить туманы, с дождем снегопад
И слова, что в разлуке ты скажешь.

Может, Север, а может быть, Дальний Восток
Меня встретит казенной постелью.
Это прожитой жизни печальный итог;
Пусть итог этот скроют метели.

Сколько буду я там, знает Бог и Закон.
Мне об этом судить очень сложно.
Но мне снится родной Петропавловки звон;
Без надежды и жить невозможно.

Я сижу в кабинете и вижу с тоской
Во дворе милицейские «Волги».
Вспоминаются годы, что были с тобой,
Только как же те годы недолги!

* * *

Звезды ярко в решетках искрятся.
Грустно в сердце младого красавца.
Он не весел, не хочет смеяться.
Про свободу он песню поет.

Припев
«Знаю, радость моя впереди:
Грязь я смою, а грубость запрячу,
И прижмусь к материнской груди,
И тихонько от счастья заплачу.

Мне теперь, дорогая, обидно.
Ни тебя, ни кого мне не видно.
Предо мной твои пышные кудри,
Да любовь в моем сердце горит.

Припев

Багровеет заря, мне не спится.
Сердце птицей на волю стремится.
Угасают последние звезды,
Пропадают с рассветом мечты.

Припев
Знаю, радость моя впереди:
Грязь я смою, а грубость запрячу,
И прижмусь к материнской груди,
И тихонько от счастья заплачу».

* * *

Шлю тебе, Тамара синеглазая,
Может быть, последнее письмо.
Никому его ты не показывай,
Для тебя написано оно.

Помнишь, как судили нас с ребятами
В маленьком и грязном нарсуде?
Я все время публику оглядывал,
Но тебя не видел я нигде.

Суд идет, и наш процесс кончается,
И судья читает приговор...
Но чему-то глупо улыбается
Этот лупоглазый прокурор.

И защита тоже улыбается,
Даже улыбается конвой.
Слышим: нам статья переменяется,
И расстрел сменяется тюрьмой.

Я еще раз оглянулся, милая,
Но тебя нигде не увидал,
И тогда шепнул на ухо Рыжему,
Чтоб письмо тебе он передал.

Говорят, что ты совсем фартовая,
Даже перестала воровать.
Говорят, что ты, моя дешевая,
Рестораны стала посещать.

Я еще вернусь с тюремной славою,
Наколов церквуху на груди.
Но тогда меня, порча шалавая,
На тюремной площади не жди.

Шлю тебе, Тамара синеглазая,
Может быть, последнее письмо.
Никому его ты не показывай,
Для тебя написано оно.

* * *

Мы встретились с тобой на Арсенальной,
Где стояла мрачная тюрьма.
Ты подошел и протянул мне руку,
Но я руки своей не подала.

Зачем меня так искренно ты любишь
И ждешь ты ласки от меня?
Мой милый друг, ты этим себя губишь,
Я не могу любить больше тебя.

Была пора, и я тебя любила,
Рискуя жизнью молодой.
Мой милый друг, тюрьма нас разлучила,
И мы навек расстались с тобой.

Тюрьма, тюрьма, ты для меня не страшна,
А страшен только твой обряд:
Вокруг тебя там бродят часовые
И по углам фонарики горят.

ТЕЧЕТ РЕЧКА

Течет речка по песочечку,
А берега крутые,
А в тюрьме сидят арестантики —
Парни молодые.

Ой, в тюрьме той сыро, холодно,
Под ногой песочек.
А молодой жульман, жиган-жиганок,
Начальничка просит:

— Ты начальничек, ключик-чайничек,
Отпусти на волю!
Дома скурвилась, дома ссучилась
Милая зазноба.

А начальничек, ключик-чайничек,
Не дает поблажки...
А молодой жульман-жиганок
Гниет в каталажке.

— Я пущу тебя на волюшку —
Воровать ты будешь.
Ты напейся воды холодненькой —
Про любовь забудешь!

Пил он ту воду холодную,
Пил — не напивался.
Полюбил он раскрасавицу —
С нею наслаждался.

Ходят с ружьями суки-стражники
Днями и ночами.
А скажите вы, братья-граждане,
Кем пришит начальник?

Течет речка по песочечку,
Моет золотишку.
А молодой жульман-жиганок
Заработал вышку!

Я девчонка молодая,
Звать меня Маруся...
Дайте мне того, ох, начальничка –
Крови я напьюся!

ТЕЧЕТ РЕЧКА

Течет речка по песочечку —
Берега крутые.
А в тюрьме сидят арестантики —
Парни молодые.

А в тюрьме-то сыро, холодно,
Под ногой — песочек.
Молодой цыган, молодой жиган
Начальничка просит:

«Ох, начальник, ты начальничек,
Отпусти на волю.
Там соскучилась и замучилась
На свободе фройля».

«Я б пустил тебя на волюшку —
Воровать ты будешь.
Ты попей, попей воды холодненькой —
Про любовь забудешь».

Любил жиган шантанеточку,
С нею наслаждался.
Пил он, пил воду холодную,
Пил — не напивался.

Помер цыган, молодой жиган.
С ним — и доля злая.
Ходит лишь в степи конь вороненький —
Сбруя золотая.

Гроб несут, его коня ведут.
Конь головку клонит.
Молодая шантанеточка
Жигана хоронит.

«Я — цыганка-шантанеточка,
Звать меня Маруся.
Дайте мне вы того начальничка —
Крови я напьюся».

Ходят, ходят курвы-стражники
Днями и ночами.
А вы скажите мне, братцы-граждане,
Кем пришит начальник?

Течет речка по песочечку —
Берега крутые.
А в тюрьме сидят арестантики —
Парни молодые.

ТЮРЕМНАЯ

Костюмчик серенький, ботиночки со скрипом
Я на тюремные палаты променял.
За восемь лет немало горя мыкал,
Из-за тебя, моя дешевка, пострадал.

И вот опять схожу я на вокзале,
А ты такая же, как восемь лет назад.
Своими жгучими прекрасными глазами
Ты вновь к себе мой привлекаешь взгляд.

Ты подошла ко мне и сразу так сказала,
Ты по-блатному мне сказала: «Ну, пойдем».
А поздно вечером поила меня водкой
И завладела моим сердцем, как рублем.

Ведь никогда я не был хулиганом,
А хулиганом ты сделала меня,
Ты познакомила с малиной и с наганом
И до тюрьмы меня ты довела. Вот такие дела!

ДНИ УХОДЯТ

Дни уходят один за другим,
Месяца улетают и годы.
Так недавно я был молодым
Я веселым юнцом безбородым.

Но пришла и увяла весна,
Жизнь пошла по распутистым тропкам.
И теперь вот сижу у окна,
Постарел за тюремной решеткой.

А на воле осенняя грусть.
Рощи, ветром побитые, стонут.
Все равно я домой возвращусь,
И родные края меня примут.

Не по сердцу мне здесь ничего.
Край чужой — чужеземные дали...
Извели, измотали всего,
В сердце грубо, смеясь, наплевали.

Знаю, счастье мое впереди:
Грусть я смою, а грубость упрячу,
И прижмусь к материнской груди,
И тихонько от счастья заплачу.

«Здравствуй, милая, добрая мать!» —
Обниму я тебя, поцелую.
Может быть, опоздал целовать,
Не застал тебя дома живую.

ЧЕРНЫЙ ВОРОН

Окрести, мамаша, нас своим кресточком —
Помогают нам великие кресты —
Может, сыну твоему, а может, дочке
Отбивают срок казенные часы.

Припев
Ну-ка, парень, подними повыше ворот,
Подними повыше ворот и держись!
Черный ворон, черный ворон, черный ворон
Переехал мою маленькую жизнь.

На глаза надвинутые кепки,
Сзади рельсов убегающий пунктир.
Нам попутчиком с тобой на этой ветке
Будет только очень строгий конвоир.

Припев

Если вспомнится любимая девчонка,
Если вспомнишь отчий дом, родную мать,
Подними повыше ворот и тихонько
Начинай ты эту песню напевать.

Припев
А ну-ка, парень, подними повыше ворот,
Подними повыше ворот и держись!
Черный ворон, черный ворон, черный ворон
Переехал мою маленькую жизнь.

* * *

Мы встретились с тобой лишь на минутку
Там, где стояла старая тюрьма.
Ты подошел и протянул мне руку,
Но я руки своей не подала.

Зачем меня так искренно ты любишь?
Ты не дождешься ласки от меня.
Мой милый друг, себя ты этим губишь.
Я больше не могу любить тебя.

Была пора, и я тебя любила,
Рискуя часто жизнью молодой.
Мой милый друг, тюрьма нас разлучила,
И мы навек расстанемся с тобой.

Тюрьма, тюрьма, разлуки не страшны мне,
Но страшен мне тюремный твой обряд.
Вокруг тебя там бродят часовые,
А по углам фонарики горят.

Мой милый друг, зачем меня ты любишь,
Сгорая страстью жаркой, молодой.
Мой милый друг, тюрьма тебя погубит.
Я не могу встречаться уж с тобой.

БУТЫЛКА ВИНА

Пропою сейчас вам про бутылку,
Про бутылку с огненной водой.
Выпьешь ту бутылку — будто по затылку
Кто-то примочил тебя ногой.

Припев
С бутылки вина не болит голова,
А болит у того, кто не пьет ничего.

Вот стоят бутылочки на полках,
В магазине молча ждут гостей.
А ханыги, словно злые волки,
Смотрят на них с окон и дверей.

Припев

В каждой есть бутылочке мгновенье.
В каждой рюмке — собственная жизнь.
В каждой из бутылок — преступленье.
Выпил — так с свободою простись.

Припев

Хорошо к бутылочке прижаться.
Еще лучше с белой головой.
Выпьешь три глоточка — схватишь три годочка.
Сразу жизнь становится иной.

Припев

Уж давно бутылочки я не пил
За тюремной каменной стеной.
А в душе зияет шлак и пепел,
Он меня не греет уж давно.

Припев

Я пропел сейчас вам про бутылку,
Про бутылку с огненной водой.
Выпьешь ту бутылку — будто по затылку
Кто-то примочил тебя ногой.

Припев
С бутылки вина не болит голова,
А болит у того, кто не пьет ничего.

СКОРО КОНЧИТСЯ СРОК

ПОСТОЙ, ПАРОВОЗ

Постой, паровоз, не стучите, колеса.
Кондуктор, нажми на тормоза!..
Я к маменьке родной с последним приветом
Спешу показаться на глаза.

Не жди меня, мама, хорошего сына.
Твой сын не такой, как был вчера.
Его засосала опасная трясина,
И жизнь его — вечная игра.

Уж скоро я буду в тюрьме за решеткой.
Стальную решетку не порву.
И пусть вдоволь светит луна продажным светом,
Ведь я, я и так не убегу.

И скоро я буду в тюремной больнице
На койке продавленной страдать.
И ты не придешь ко мне, мама родная,
Меня приласкать, поцеловать.

А после я лягу в иную постельку,
Укроюсь сыпучею землей.
И ты не придешь ко мне, мама родная,
Узнать, где сыночек дорогой.

Постой, паровоз, не стучите, колеса!
Есть время взглянуть судьбе в глаза.
Пока еще не поздно нам сделать остановку,
Кондуктор, нажми на тормоза!

* * *

Я напишу письмо последнее, прощальное.
Я напишу письмо в колесный перестук.
Мне будут на пути причалы, расставанья,
И на моей судьбе — следы от чьих-то рук.

На зону поднимусь, как дипломат в иную,
В чужую сторону — язык ведь незнаком.
Войду к зека в барак, как в вотчину чужую.
Там каждый капитан и к плаванью готов.

Вот руку на плечо кладет пахан сурово
И тихо говорит: «Теперь ты, кореш, наш.
На нарах у окна постель уже готова,
А малолетки пусть погнутся у параш».

Расскажет мне пахан, что — правда и что — враки,
Поделится со мной баландой и крестом:
«Надень его на грудь и помни, что собаки
Боятся, если им грозишь блатным пером».

Не бойся, скажет он, тюрьмы, сумы и срока,
Не бойся, скажет он, работы в лагерях,
И не грусти о ней — она, браток, далеко,
Черти на стенке дни и думай о годах.

Послушаюсь его, а после помечтаю
О шапке, что вовек на воре не горит,
О том, что невидимкою прийти домой желаю —
Услышать там, как мать с сестренкой говорит.

Я — дипломат в стране, в стране чужой, далекой.
Из мира красоты — в мир силы и ножа.
Любовь моя пройдет, на стыках рельс отщелкав.
Черчу на стенке дни. Все мысли о годах.

* * *

Здравствуй, мать, и ты, сестренка Нина,
Шлю я вам свой пламенный привет!
Расскажу, какая здесь картина, дорогая мама,
Где прожил я около трех лет.

Климат, мама, здесь очень холодный,
Ветер злой кусает, хоть беги,
И мороз, мороз, как волк голодный, дорогая мама,
Пальцы отгрызает у ноги.

Сроку у меня не так уж много.
Скоро отсижу проклятый срок.
И тогда откроется дорога, дорогая мама,
Что ведет в родимый городок.

На пороге встретишь ты, родная,
С белою, седою головой,
И, платочком слезы утирая, дорогая мама,
Скажешь: «Сын, вернулся ты домой».

Только может быть судьба иная —
Все произойдет наоборот:
Заболею, и болезнь сломает, дорогая мама,
И земля навек к себе возьмет.

И родная мама не узнает,
Где сынок на Севере зарыт, —
Лишь весной бурьяны расцветают, дорогая мама,
И звезда с звездою говорит.

Здравствуй, мать, и ты, сестренка Нина,
Шлю я вам свой пламенный привет!
Вот какая здесь у нас картина, дорогая мама,
Где провел я около трех лет.

* * *

Ведут на Север срока огромные.
Кого ни спросишь — у всех Указ.
Взгляни, взгляни в глаза мои суровые,
Взгляни, быть может, в последний раз.

Ведь завтра я покину каталажку,
Уйду этапом на Воркуту.
И под конвоем там, на той работе тяжкой,
Могилу скоро себе найду.

В побег уйду я — за мною часовые
Пойдут в погоню, зека кляня,
И на винтовочках взведут курки стальные,
И непременно убьют меня.

Друзья накроют мой труп бушлатиком,
На холм высокий меня снесут.
И, помянув судьбу свою проклятьями,
Лишь песню грустно мне пропоют.

И скоро скажут тебе, моя любимая,
Или напишет товарищ мой.
Не плачь, не плачь, подруга моя милая,
Я не вернусь теперь уже домой.

Стоять ты будешь у той моей могилочки,
Платок батистовый свой теребя.
Не плачь, не плачь, подруга моя милая,
Ты друга сердца отыщешь для себя.

Ведут на Север срока огромные.
Кого ни спросишь — у всех Указ.
Взгляни, взгляни в глаза мои суровые,
Взгляни, быть может, в последний раз.

КОЛЫМА

Здесь, под небом родным, в Колыме, нам родимой,
Слышен звон кандалов, скрип тюремных дверей.
Люди спят на ходу, на ходу замерзают.
Кто замерз, тот и счастлив — того больше не бьют.

Скоро кончится срок, и вернемся на волю,
Будем жить-воровать, и опять мы сгорим.
И опять та же песнь, и опять те мотивы...
Значит, нет, пацану, мне другого пути.

ЛАГЕРНАЯ

День и ночь над тайгой завывают бураны,
Крайний Север суров, молчалив и угрюм.
По глубоким снегам конвоиры шагают,
Неизвестно куда заключенных ведут.

Их на Север ведут за отказ от работы,
Среди них доктора, кузнецы и воры,
Чтоб трудились они до десятого пота,
Вдалеке от любимой, от зари до зари.

Красноярское небо над оставленной трассой.
За голодным этапом стаи волков идут.
— Ненаглядная мама, что за дяди в бушлатах
В оцепленье конвоя все бредут и бредут?

— Это разные люди, что сражались в Карпатах,
Защищали детей, стариков и тебя.
Это дети России, это в прошлом солдаты,
Что разбили геройски под рейхстагом врага.

День и ночь над тайгой завывают бураны,
Крайний Север суров, молчалив и угрюм.
По глубоким снегам конвоиры шагают,
Неизвестно куда заключенных ведут.

* * *

Споем, жиган, нам не гулять по бану
И не встречать веселый праздник Май.
Споем, жиган, как девочку-пацанку
Везли этапом, отправляя в дальний край.

За много верст на Севере далеком,
Не помню точно, как и почему,
Я был влюблен, влюблен я был жестоко —
Забыть пацаночку никак я не могу.

Который год живу я с ней в разлуке
На пересылках, в тюрьмах, лагерях.
Я вспоминаю маленькие руки
И ножки стройные в суровых лопарях.

Где ты теперь? Кто там тебя фалует —
Начальник зоны, старый уркаган?
Или в побег ушла напропалую,
И напоследок шмальнул в тебя наган.

И может быть, лежишь ты под откосом
Иль у тюремных каменных ворот.
И по твоим по шелковистым косам
Прошел солдата кованый сапог.

Споем, жиган, нам не гулять по бану
И не встречать веселый праздник Май.
Споем, жиган, как девочку-пацанку
Везли этапом, угоняя в дальний край.

* * *

Знаю, мать, что ты ищешь меня
По задворкам глухим да околицам.
По какой-то нелепой статье
Дали, мамка, мне целый червонец.

Край сибирский суровый такой.
Но, однако ж, весна нас ласкает.
Только вот плоховато одно:
Меня, мамка, домой не пускают.

Все пройдет, пролетит, словно сон,
Перемелется, станет мукою.
Только ты погоди умирать,
Надо встретиться, мамка, с тобою.

Знаю, мать, что ты ищешь меня
По задворкам глухим да околицам.
По какой-то нелепой статье
Дали, мамка, мне целый червонец.

* * *

Чередой за вагоном вагон,
С легким звоном по рельсовой стали
По этапу идет эшелон
Из Ростова в сибирские дали.
Заглушает пурга стук колес.
Бьется в окна холодною плетью,
Но порывистый ветер донес
Из вагона унылую песню.

Припев
«Не печалься, любимая,
За разлуку прости меня.
Я вернусь раньше времени,
Дорогая, клянусь!
Как бы ни был мой приговор строг,
Я приду на родимый порог
И, тоскуя по ласкам твоим,
Я в окно постучусь».

Здесь на каждом вагоне — замок,
Две доски — вместо мягкой постели,
И, закутавшись в серый дымок,
Нам кивают угрюмые ели.
Среди диких обрывистых скал,
Где раскинулись воды Байкала,
Где бродяга судьбу проклинал,
Эта песня тоскливо звучала.

Припев

Завернувшись в бушлат с головой,
Пролетаем леса и болота.
Здесь на каждом вагоне конвой
И торчат по бокам пулеметы.

Мчал все дальше и дальше состав,
И прощались угрюмые ели.
Но, угаснуть надежде не дав,
Всю дорогу колеса нам пели.

Припев

Десять лет трудовых лагерей
Подарил я рабочему классу.
Там, где стынут лишь тропы зверей,
Я построил амурскую трассу.
Застревали в снегу трактора,
Даже «сталинцам» сил не хватало.
И тогда под удар топора
Эта песня о милой звучала.

Припев
«Не печалься, любимая,
За разлуку прости меня.
Я вернусь раньше времени,
Дорогая, клянусь!
Как бы ни был мой приговор строг,
Я приду на родимый порог
И, тоскуя по ласкам твоим,
Я в окно постучусь».

Я ЗНАЮ, МЕНЯ ТЫ НЕ ЖДЕШЬ

Я знаю, меня ты не ждешь
И писем моих не читаешь.
Но чувства свои сбережешь
И их никому не раздаришь.

А я далеко, далеко,
И нас разделяют просторы.
Прошло уж три года с тех пор,
Как плаваю я по Печоре.

А в тундре мороз и пурга,
Болота и дикие звери.
Машины не ходят сюда,
Бредут, спотыкаясь, олени.

Цинга меня мучает здесь.
Работать устал, нету силы.
Природа и каторжный труд
Меня доведут до могилы.

Я знаю, меня ты не ждешь,
И в шумные двери вокзала
Меня ты встречать не придешь...
Об этом я знаю, родная.

ЭШЕЛОН

Чередой за вагоном вагон,
С мерным стуком по рельсовой стали
Спецэтапом идет эшелон
С пересылкой в таежные дали.
Заметает пургой паровоз,
В окна блещет морозная плесень.
И порывистый ветер донес
Из вагона печальную песню.

«Не печалься, любимая,
За разлуку прости меня,
Я вернусь раньше времени,
Дорогая моя.
Как бы ни был мой приговор строг,
Я вернусь на родимый порог
И, тоскуя по ласке твоей,
Я в окно постучу».

Завернувшись в тулуп с головой,
Пролетая снега и болота,
На площадках вагонов конвой
Ощетинил свои пулеметы.
А на каждом вагоне замок,
Три доски вместо мягкой постели,
И, закутавшись в синий дымок,
Нам внимают дремучие ели.

«Не печалься, любимая,
За разлуку прости меня,
Я вернусь раньше времени,
Дорогая моя.
Как бы ни был мой приговор строг,
Я вернусь на родимый порог
И, тоскуя по ласке твоей,
Я в окно постучу».

Утопали в снегах трактора,
Даже «сталинцу» сил не хватало.
И тогда под удар топора
Эта песня, родная, звучала.
Десять лет трудовых лагерей
Подарил я рабочему классу.
Там, где были лишь тропы зверей,
Проложил я колымскую трассу.

«Не печалься, любимая,
За разлуку прости меня,
Я вернусь раньше времени,
Дорогая моя.
Как бы ни был мой приговор строг,
Я вернусь на родимый порог
И, тоскуя по ласке твоей,
Я в окно постучу».

ЖУРАВЛИ НАД КОЛЫМОЙ

Здесь, на Русской земле, я чужой и далекий,
Здесь, на Русской земле, я лишен очага.
Между мною, рабом, и тобой, одинокой,
Вечно сопки стоят, мерзлота и снега.

Я писать перестал, письма плохо доходят.
Не дождусь от тебя я желанных вестей.
Утомленным полетом на юг птицы уходят.
Я гляжу на счастливых друзей-журавлей.

Пролетят они там, над полями, лугами,
Над садами, лесами, где я рос молодым,
И расскажут они голубыми ночами,
Что на Русской земле стал я сыном чужим.

Расцветет там сирень у тебя под окошком.
Здесь в предсмертном бреду будет только зима.
Расскажите вы всем, расскажите немножко,
Что на Русской земле есть земля Колыма.

Расскажите вы там, как в морозы и слякоть,
Выбиваясь из сил, мы копали металл,
О, как больно в груди и как хочется плакать,
Только птицам известно в развалинах скал.

Я не стал узнавать той страны, где родился,
Мне не хочется жить. Хватит больше рыдать.
В нищете вырастал я, с родными простился.
Я устал, журавли. Вас не в силах догнать.

Год за годом пройдет. Старость к нам подкрадется,
И морщины в лице... Не мечтать о любви.
Неужели пожить по-людски не придется?
Жду ответ, журавли, на обратном пути.

* * *

Помню, помню, помню я,
Как меня мать любила
И не раз, и не два
Сыну говорила.

Говорила: «Ты, сынок,
Не водись с ворами.
В Сибирь-каторгу сошлют,
Скуют кандалами.

Сбреют волос твой густой
Аж до самой шеи.
Поведет тебя конвой
По матушке-Расее».

Я не крал, не воровал.
Я служил народу.
В Сибирь-каторгу попал
По пятому году.

Помню, помню, помню я,
Как меня мать любила
И не раз, и не два
Сыну говорила.

* * *

Я помню тот Ванинский порт
И вид пароходов угрюмый,
Как шли мы по трапу на борт
В холодные мрачные трюмы.

Не песня, а жалобный крик
Из каждой груди вырывался:
«Прощай навсегда, материк!»
Ревел пароход, надрывался.

А в море сгущался туман,
Кипела пучина морская,
Стоял на пути Магадан —
Столица Колымского края.

От качки страдали зека,
Обнявшись, как родные братья.
Лишь только порой с языка
Срывались глухие проклятья.

Будь проклята ты, Колыма,
Что названа краем планеты.
Сойдешь поневоле с ума —
Обратно возврата уж нету.

Семьсот километров тайга.
Не видно нигде здесь селений.
Машины не ходят сюда.
Бегут, спотыкаясь, олени.

Здесь смерть подружилась с цингой,
Набиты битком лазареты.
Напрасно и этой весной
Я жду от любимой привета.

Не пишет она, и не ждет,
И писем моих не читает,
Встречать на вокзал не придет —
За стыд и позор посчитает.

Прощайте же, мать, и жена,
И вы, мои малые дети.
Знать, горькую чашу до дна
Придется мне выпить на свете.

* * *

Вот мое последнее письмо.
Не пиши, не надо мне ответа.
Я хотел сказать тебе давно,
Что любви моей уж песня спета.

А портрет не надо мне, не шли —
Я тебя и так неплохо помню.
Сыну ничего не говори —
Молча поцелуй его с любовью.

Вот мое последнее прости.
Трудно будет — сын тебе поможет.
Будет он обманутым расти,
Пока сам понять всего не сможет.

Вот мое последнее прощай.
Будешь жить ты в мире одинокой,
Будешь тихо плакать по ночам,
Вспоминать о юности далекой.

На мое последнее письмо
Не пиши, не надо мне ответа.
Я хотел сказать тебе давно,
Что любви моей уж песня спета.

НА КОЛЫМЕ

На Колыме, где холод и тайга кругом,
Среди снегов и елей синевы
Тебя я встретил с подругой вместе —
Там у костра сидели вы.

Шел тихий снег и падал на ресницы вам.
Вы северной природой увлеклись.
Тебе с подругой я подал руку —
Вы, встрепенувшись, поднялись.

Я полюбил очей твоих прекрасный свет
И предложил встречаться и дружить.
Дала ты слово мне быть готовой
Навеки верность сохранить.

В любви и ласке время незаметно шло.
Но день настал — и кончился твой срок.
И у причала, где провожал я,
Мелькнул прощально твой платок.

С твоим отъездом началась болезнь моя:
Туберкулез проходу не давал.
По актировке — врачей путевке —
Я край Колымский покидал.

Немало лет меж нами пролегло с тех пор...
А поезд все быстрее мчит на юг.
И всю дорогу молю я Бога
С тобою встретиться, мой друг.

Огни Ростова тихий снег слегка прикрыл,
Когда к перрону поезд подходил.
Тебя, больную, совсем седую,
К вагону сын наш подводил.

Так здравствуй, поседевшая любовь моя!
Пусть кружится и падает снежок
На берег Дона, на ветки клена,
На твой заплаканный платок.

ПО ТУНДРЕ

Мы бежали по тундре, по широким просторам,
Там, где мчится курьерский Воркута—Ленинград,
Мы бежали из зоны, а за нами погоня —
Кто-то падал убитый, и кричал комендант.

Припев
По тундре, по стальной магистрали,
Где мчится скорый Воркута—Ленинград...
По тундре, по стальной магистрали,
Там мчится скорый Воркута—Ленинград.

Дождик капал на рыло и на дуло нагана.
Вохра нас окружила, «Руки в гору!» — кричат.
Но они просчитались — окруженье разбито,
Нас теперь не догонит револьверный заряд.

Припев

Мы бежали с тобою зеленеющим маем,
Когда тундра одета в свой прекрасный наряд.
Мы ушли от погони. Мы теперь на свободе,
О которой так много в лагерях говорят.

Припев
По тундре, по стальной магистрали,
Где мчится скорый Воркута—Ленинград...
По тундре, по стальной магистрали,
Там мчится скорый Воркута—Ленинград.

* * *

Это было весною, в зеленеющем мае,
Когда тундра проснулась, развернулась ковром.
Мы бежали с тобою, замочив вертухая,
Мы бежали из зоны — покати нас шаром!

Припев
По тундре, по широкой дороге,
Где мчит курьерский Воркута—Ленинград,
Мы бежали, два друга, опасаясь тревоги,
Опасаясь погони и криков солдат.

Лебединые стаи нам навстречу летели,
Нам на юг, им на север — каждый хочет в свой дом.
Эта тундра без края, эти редкие ели,
Этот день бесконечный — ног не чуя, бредем.

Припев

Ветер хлещет по рылам, свищет в дуле нагана.
Лай овчарок все ближе, автоматы стучат.
Я тебя не увижу, моя родная мама,
Вохра нас окружила, «Руки в гору!» — кричат.

Припев

В дохлом северном небе ворон кружит и карчет.
Не бывать нам на воле, жизнь прожита зазря.
Мать-старушка узнает и тихонько заплачет:
У всех дети как дети, а ее — в лагерях.

Припев

Поздно ночью затихнет наш барак после шмона.
Мирно спит у параши доходяга-марксист.
Предо мной, как икона, вся запретная зона,
А на вышке все тот же ненавистный чекист.

Припев
По тундре, по широкой дороге,
Где мчит курьерский Воркута—Ленинград,
Мы бежали, два друга, опасаясь тревоги,
Опасаясь погони и криков солдат.

ДЕВУШКА В СИНЕМ БЕРЕТЕ

Шум проверок и звон лагерей
Не забыть никогда мне на свете
И из всех своих лучших друзей
Эту девушку в синем берете.

Помню лагерь и лагерный клуб,
Звуки вальса, и говор веселый,
И оттенок накрашенных губ,
И берет этот синий, знакомый.

А когда угасал в зале свет,
И все взоры стремились на сцену,
Помню я, как склонялся берет
На плечо молодому шатену.

Он красиво умел говорить —
Не собьешь на фальшивом ответе.
Только нет, он не может любить
Заключенную в синем берете.

Шепчет он: «Невозможного нет»...
Шепчет он про любовь и про ласки.
А сам смотрит на синий берет
И на карие круглые глазки.

От зека не скрывала того,
Что желала сама с ним встречаться,
И любила как друга его —
Ее лагерь заставил влюбляться.

А когда упадет с дуба лист,
Он отбудет свой срок наказанья
И уедет на скором в Тифлис,
Позабыв про свои обещанья.

Где б он ни был и с кем ни дружил,
Навсегда он оставит в секрете,
Что когда-то так долго любил
Заключенную в синем берете.

Шум проверок и звон лагерей
Не забыть никогда мне на свете
И из всех своих лучших друзей
Эту девушку в синем берете.

* * *

А на дворе чудесная погода.
Окно откроешь — светит месяц золотой.
А мне сидеть еще четыре года.
Ой-ой-ой-ой! — как хочется домой.

А вот недавно попал я в слабосилку
Из-за того, что ты не шлешь посылку.
Я не прошу того, что пожирнее,
Пришли хотя бы черных сухарей.

А в воскресенье сходи-ка ты к Егорке.
Он по свободе мне должен шесть рублей
На три рубля купи ты мне махорки,
На остальные черных сухарей.

Да не сиди с Егоркой до полночи —
Не то Егорка обнять тебя захочет.
А коль обнимет, меня не забывай
И сухарей скорее высылай.

Итак, кончаю. Целую тебя в лобик,
Не забывай, что я живу как бобик.
Привет из дальних лагерей
От всех товарищей-друзей.
Целую крепко-крепко. Твой Андрей.

* * *

По тундрам, тундрам, по широким просторам,
Там, где мчится курьерский Воркута—Ленинград,
Мы бежали с тобою, опасаясь погони,
И мы твердо решили: нет дороги назад.

Все, что было, — не скрою. Пусть поймут меня люди.
Я любил тебя очень, как любил я цветы.
Ты менялась, как ветер, обо мне забывала.
Скоро стала холодной, как на Севере льды.

Расставались мы просто, и в сердцах горделивых
Больше не было страсти, не теплилась любовь.
Расставаясь, я понял, что ушла ты навеки,
Что ушла ты навеки, что не встретимся вновь.

О море, море... Я один на просторе.
Твои глазки мне светят — не видать в них огня.
Предо мною стихия. Она плакать не может.
Это рвутся рыданья из груди у меня.

Вдруг, судьбу изменяя, в сердце входит другая.
Я хочу, чтоб из песни ты не брала пример.
Если любишь глубоко и не будешь жестокой,
Я спою тебе песню еще лучше, поверь!

ЛЕСБИЙСКАЯ СВАДЬБА

Пусть на вахте обыщут нас начисто
И в барак надзиратель вошел...
Мы под звуки гармошки наплачемся
И накроем наш свадебный стол.

Женишок мой, бабеночка видная,
Наливает мне в кружку «Тройной».
Вместо красной икры булку ситную
Он помажет помадой губной.

Сам помадой губной он не мажется
И походкой мужскою идет.
Он совсем мне мужчиною кажется,
Только вот борода не растет.

Девки бацают с дробью цыганочку,
Бабы старые «Горько!» кричат.
Лишь рыдает одна лесбияночка
На руках незамужних девчат.

Эх, налейте за долю российскую!
Девки выпить по новой не прочь
Да за горькую, да за лесбийскую
Нашу первую брачную ночь.

В зоне сладостно мне и немаетно,
Мужу вольному писем не шлю.
Никогда, никогда не узнает он,
Что Маруську Белову люблю.

* * *

Помню ночку темную, глухую
На чужом скалистом берегу.
По тебе, свобода, я тоскую
И надежду в сердце берегу.

Помню годы, полные тревоги,
Свет прожекторов ночной порой.
Помню эти пыльные дороги,
По которым нас водил конвой.

На которых день и ночь звучали
Частые тяжелые шаги.
Разве ты забыл, как нас встречали
Лагерей тревожные свистки?!

В лагерях мечтают о свободе.
Не дано там права говорить.
Там винтовки часовых на взводе
Могут вам свободу заменить.

Срок пройдет, пройдут года упрямо.
Все забудут наши имена.
И никто не вспомнит, только мама
Скажет, что у сына седина.

Может, сын еще к тебе вернется.
Мать-старушка выйдет на перрон.
Скажет: «Здравствуй, сын» — и отшатнется,
Подавив в груди невольный стон.

Скоро вы увидите, как летом
На полях цветочки расцветут.
Разве вы не знаете об этом,
Что цветы свободных только ждут?

* * *

За окном кудрявая белая березонька.
Солнышко в окошечко нежным светом льет.
У окна старушечка — лет уже порядочно.
С Воркуты заснеженной мать сыночка ждет.

И однажды вечером принесли ей весточку.
Сообщили матери, что «в разливе рек
Ваш сыночек Витенька, порешив охранника,
Темной-темной ноченькой совершил побег».

Он ушел из лагеря в дали необъятные,
Шел тайгой дремучею ночи напролет,
Чтоб увидеть мамочку и сестренку Танечку.
Шел тогда Витюнечке двадцать третий год.

И однажды ноченькой постучал в окошечко.
Мать, увидев Витеньку, думала, что сон.
«Скоро мне расстрел дадут, дорогая мамочка!» —
И, к стене приникнувши, вдруг заплакал он.

Ты не плачь, старушечка, не грусти, не мучайся.
Ты слезами горькими сына не вернешь.
На ветвях березовых капельки хрустальные:
С ней береза плакала, не скрывая слез.

* * *

Я по тебе соскучилась, Сережа,
Истосковалась по тебе, сыночек мой.
Ты пишешь мне, что ты скучаешь тоже
И в октябре воротишься домой.

Ты пишешь мне, что ты по горло занят,
А лагерь выглядит суровым и пустым.
А вот у нас на родине, в Рязани,
Вишневый сад расцвел, как белый дым.

Уж скоро в поле выгонят скотину,
Когда нальется соком нежная трава.
А под окном кудрявую рябину
Отец срубил по пьянке на дрова.

У нас вдали, за синим косогором,
Плывет, качаясь, серебристая луна.
По вечерам поют девчата хором,
И по тебе скучает не одна.

Придут домой, обступят, как березы:
«Когда же, тетенька, вернется ваш Сергей?»
А у одной поблескивают слезы,
В глазах тоска-печаль прошедших дней.

А я горжусь, но отвечаю скромно:
«Когда закончится осенний листопад,
Тогда Сергей навек покинет зону
И вслед за тем воротится назад».

Так до свиданья, Сережка, до свиданья.
Так до свидания, сыночек дорогой,
До октября, до скорого свиданья,
Как в октябре воротишься домой.

* * *

Полгода я скитался по тайге.
Я ел зверье и хвойную диету.
Но верил я фартовой той звезде,
Что выведет меня к людскому свету.

Как все случилось, расскажу я вам.
Вы помните те годы на Урале,
Как стало трудно деловым ворам,
А в лагерях всем суки заправляли?

Мы порешили убежать в тайгу,
А перед этим рассчитаться с гадом.
Ползли мы, кровью харкая, в снегу...
Ну да об этом вспоминать не надо.

Куда бежал? Была, брат, у меня
Одна девчоночка — пять лет с ней не видался, —
Этап мой угоняли в лагеря,
Я плакал, когда с нею расставался.

И вышел я. Везло, как дураку.
И поезд прогудел на остановке.
Вскочил в вагон на полном на-ходу
И завалился спать на верхней полке.

Нашел я улицу и старый, ветхий дом.
Я на крыльцо поднялся. Сердце билось.
Внимательно я посмотрел кругом.
Но лишь звезда на небе закатилась.

Открылась дверь, и вот она стоит.
А на руках ребеночек — мальчишка.
«А мне сказали, что в побеге ты убит.
Ждать перестала и не знаю уж, простишь ли?

Лишь одного тебя любила я.
Пять лет ждала и мальчика растила.
Но видно, горькая была судьба моя —
Я замуж вышла, обвенчалась я, мой милый».

Я взял сыночка, пред глазами подержал.
Запомнил все: лицо, глаза, ресницы.
А деньги все, что в поездах я взял,
Ей в руку сунул — даже не простился.

Пошел к начальнику тогда и сдался я.
Сказал, что, мол, в побеге. И откуда.
Легавые собрались вкруг меня
И на меня глазели, как на чудо.

Потом начальник папки полистал
И, побледнев, промолвил тихо: «Точно.
Ты при побеге ведь убийцей стал
И к вышаку приговорен заочно».

Простите меня, люди всей земли.
Прости, Господь. Ты есть, теперь я знаю.
Жить не могу я без большой любви.
Да и без сына жить я не желаю.

ВОРОВСКИЕ КОСТРЫ

Кончай работу! Будем греться у костра.
Мы к свету протянули наши руки.
Ни слова не сказали мусора,
И бригадиры промолчали, суки.
Нет, не гаснуть вам век, воровские костры,
Полыхать, по тайге рассеяться.
Наши ноги быстры, а заточки остры —
Есть в побеге на что нам надеяться.

Лишь прокурор зеленый к двери подойдет,
С земли большой потянет свежим ветром —
С товарищем мы крохи соберем
И убежим тропою незаметной.
И опять разгорятся в тумане костры,
Те, в ком не было сил, проводят
И последние крохи — голодных пайки —
Для товарищей новых сготовят.

Пошлют в погоню нам четырнадцать ребят.
У всех винтовки, пять патронов в каждой.
Не попадись нам на пути, солдат!
Кто волю выбрал, тот боец отважный.
Пусть поймают меня через десять часов,
Пусть убьют и собаками травят.
Есть тюрьма, есть замок, на воротах засов,
Но надежда меня не оставит.

Снова встретить тебя, дорогая моя,
Объяснить, что я не виноватый,
Рассказать, как травили и били меня
И была не по делу расплата.
Воровские костры, вам гореть навсегда!
В вас есть слава убитым в погонях.
А на Север угрюмый идут поезда —
Новых мальчиков гонят в вагонах.

«СТОЛЫПИН»

Шел «Столыпин» по центральной ветке.
В тройнике за черной грязной сеткой
Ехала девчонка из Кургана,
Пятерик везла до Магадана.

По соседству ехал с ней парнишка,
А в конце этапа ему вышка.
Ксиву написал и ждет ответа,
А его давно уж песня спета.

И ему ответила девчонка:
— Если хочешь ты ко мне на полку,
Говори с конвоем, я согласна,
Моя жизнь к твоей не безучастна.

Помогла сиреневая ксива,
Отворилась дверь в отстойник к милой.
Этого нельзя назвать развратом —
Счастье и любовь под автоматом.

Рано утром прапорщик проснулся,
Увидал девчонку, улыбнулся,
Руку протянул, к груди прижался...
От удара прапор оконался.

— Ах ты, сука! Не прощу профуру! —
И схватился прапорщик за дуру,
Выстрелил в девчонку из нагана.
Не видать ей города Кургана.

А наутро рапорт зачитали:
«При побеге зечку расстреляли».
Прапорщик погиб в неравной битве —
В тройнике у смертника на бритве.

* * *

Кто поймет, кто поймет грусть глубокую,
Кто поверит той ране больной?
Полюбил я тебя, кареокую,
С чистой, верной, открытой душой.

Мои мысли с ветвями сплетаются,
Больше думать об этом невмочь:
Злые люди разбить нас стараются;
Я не сплю в эту темную ночь.

Не страшна мне Сибирь отдаленная,
И не страшен жестокий конвой,
Только жаль, моя милая девочка,
Что так рано расстались с тобой.

Все равно я по-своему сделаю,
Все преграды сумею пройти,
Я тебя, моя милая девочка,
Постараюсь повсюду найти.

Не страшна мне тайга нелюдимая,
И не страшен жестокий конвой.
Знаю — ждет на свободе любимая
С чистой, верной, открытой душой.

А пока, а пока — до свидания,
Знаю, детка, ты любишь меня.
О любви ты моей не рассказывай
Никому и нигде, никогда.

ШЕЛКОВЫЙ ПЛАТОЧЕК

Это было давно, это было весной,
Шел этап, окруженный штыками.
На разъезде одном я увидел ее
С полных слез голубыми глазами.

И, увидев этап, она к нам подошла,
Подарила платочек шелковый.
А на этом платке было несколько слов.
Парень плакал, те строки читая.

И писал ей тогда: «Здравствуй, Валя моя,
Здравствуй, Валя моя дорогая!
Я разбойник, я вор.
Срок большой у меня,
Ждет меня уж могила сырая!»

Но вот кончился срок, вышел я из ворот,
Нашел дом с распускавшейся грушей.
На мой радостный крик вышел старый старик,
Весь заросший седой бородою.

И спросил тогда я: «Где же Валя моя?
Где же Валя моя дорогая?»
И ответил старик: «Видишь, холмик стоит,
Весь поросший густою травою...»

И нарвал я цветов из весенних садов,
И пошел я к холму, спотыкаясь.
А над этим холмом грустно пел соловей,
Не дождавшись заветного друга...

ВЕШНИЕ ВОДЫ

Вешние воды бегут с гор ручьями,
Птицы весенние песни поют.
Горькими хочется плакать слезами,
Только к чему — все равно не поймут.

Разве поймут, что в тяжелой неволе
Самые юные годы прошли.
Вспомнишь былое — взгрустнешь поневоле,
Сердце забьется, что птица в груди.

Вспомнишь о воле, былое веселье,
Девичий стан, голубые глаза...
Только болит голова, как с похмелья,
И на глаза накатится слеза.

Плохо, мой друг, мы свободу любили,
Плохо ценили домашний уют.
Только сейчас мы вполне рассудили,
Что не для всех даже птицы поют.

Годы пройдут, и ты выйдешь на волю,
Гордо расправишь усталую грудь,
Глянешь на лагерь с презреньем и болью,
Чуть улыбнешься и тронешься в путь.

Будешь гулять по российским просторам
И потихоньку начнешь забывать
Лагерь, что был за колючим забором,
Где довелось нам так долго страдать.

Вешние воды бегут с гор ручьями,
Птицы весенние песни поют.
Горькими хочется плакать слезами,
Только к чему — все равно не поймут.

* * *

Ах, зачем эти горы высокие
Закрывают Восток голубой,
Ах, зачем этот Север далекий
Разделяет нас, детка, с тобой.

Далеко от родного я края,
Занесла меня злая судьба.
Хоть бы день, хоть бы час, дорогая,
Посмотреть бы я мог на тебя!

Сердце в груди моей бьется,
Пусть огонь не угаснет в груди.
Тяжелое счастье
Нас ждет впереди.

Мы сегодня расстались с тобою;
Переброшен был в лагерь другой.
Среди зон, запорошенных вьюгой,
Мы навеки расстались с тобой.

Знаю я, что ты не изменишь, —
Жизнь заставит тебя изменить.
Точно так же и ты не поверишь,
Что без женщины буду я жить.

В лагерях не имеем мы права
Откровенно друг друга любить.
Только с риском попасть под облаву
Можно ночью друг к другу ходить.

Так прощай! Прощай, моя детка!
Не одна нам дорога с тобой.
Заключенные, милая детка,
Не владеют своею судьбой.

* * *

Утром рано проснешься
И газетку раскроешь —
На последней странице
Золотые слова:
Это Клим Ворошилов
Даровал нам свободу.
И опять на свободе
Будем мы воровать.

Утром рано проснешься —
На поверку построят.
Вызывают: Васильев!
И выходишь вперед.
Это Клим Ворошилов
И братишка Буденный
Даровали свободу,
И их любит народ.

* * *

Поют гитары вам,
И вам поет баян,
Что я вернусь таким, каким я был,
Но кровь кипучую
С любовью жгучею
Я вьюгам северным всю подарил.

А там, на волюшке,
Поют соловушки,
Той песней звонкою пленя сердца.
Ты в легком платьице,
Моя красавица,
Сидишь в объятиях у молодца.

Я на побег пошел
Той ночкой лунною,
Чтоб до тебя дойти, я убежал.
Чтоб снова свидеться,
Моя любимая,
Чтоб ты увидела, каким я стал.

Но был задержан я
Той ночкой лунною,
А соловей мне пел: скатертью путь!
Отправят битого
В тюрьму закрытую,
Чтоб от побегов там мог отдохнуть.

ЖУРАВЛИ

Здесь, под небом чужим,
Я — как гость нежеланный,
Слышу крик журавлей,
Улетающих вдаль.
Сердце бьется сильней,
Вижу птиц караваны,
В голубые края
Провожаю их я.

Вот все ближе они
И как будто рыдают,
Словно скорбную весть
Мне они принесли.
Из какого же вы
Из далекого края
Прилетели сюда
На ночлег, журавли?

Холод, сумрак, туман,
Непогода и слякоть...
Вид унылых полей
И печальной земли...
Ах, как сердце болит,
Как мне хочется плакать!
Перестаньте рыдать
Надо мной, журавли!

Пронесутся они
Мимо скорбных распятий,
Мимо древних церквей
И больших городов.
А вернутся они —
Им раскроет объятья
Их родная земля
И Отчизна моя.

ЖУРАВЛИ УЛЕТЕЛИ

Журавли улетели, журавли улетели.
Опустели и смолкли родные поля.
Лишь оставила стая среди бурь и метелей
Одного с перебитым крылом журавля.

Поднялись они в путь, и опасный, и дальний,
И затих на мгновенье широкий простор.
Скрип больного крыла, словно скрежет
кандальный,
А в глазах бесконечный, безмолвный укор.

Был когда-то и я по-ребячьи крылатым,
Исходил и изъездил немало дорог,
А теперь вот лежу я в больничной палате,
Так без времени рано погас и умолк.

Вот команда раздалась, и четко, и бойко —
Снова в бой посылают усталых солдат.
У окошка стоит моя жесткая койка.
За окном догорает багряный закат.

Ну так что?! Ну и пусть! И какое мне дело,
Если даже последний закат догорит...
Журавли улетели, журавли улетели.
Только я с перебитым крылом позабыт.

* * *

Постовой, отвернись,
Сделай вид, что не видишь!
Я рвану за кусты
Да с обрыва — в реку.
Я вздохну всей душой
Воздух чистый, свободный
И тебе на прощанье
Крикну «ку-ку!».

И тогда ты стреляй,
Поднимай ты тревогу!
Никакой опервзвод
Не догонит меня.
Буду Бога молить,
Чтоб послал тебе счастья
До конца твоей жизни,
До последнего дня.

* * *

Как в саду при долине
Звонко пел соловей.
А я, мальчик, на чужбине
Позабыт у людей.

Позабыт, позаброшен
С молодых, ранних лет.
Сам остался сиротою —
Счастья-доли мне нет.

Ох, умру я, умру я,
Похоронят меня.
И никто не узнает,
Где могилка моя.

И никто не узнает,
И никто не придет.
Только раннею весною
Соловей запоет.

Запоет, и заплачет,
И опять улетит.
И никто не узнает,
Где сиротка лежит.

Как в саду при долине
Звонко пел соловей.
А я, мальчик, на чужбине
Позабыт у людей.

Я МЕДВЕЖАТНИК

Я всю Россию прошагал,
В шалманах пил, в притонах спал,
Топтал лаптишки в лагерях — а мне плевать!
А мне плевать на белый свет,
Ведь до звонка мне скидки нет —
А значит, век свободы не видать!

Я медвежатник — крупный вор,
И срок пришил мне прокурор.
На всю катушку размотал — а мне плевать!
Меня не купишь за калач,
Я не какой-нибудь стукач,
А значит, век свободы не видать!

Стоит на стреме часовой,
Он охраняет мой покой.
Он для зека родная мать — а мне плевать!
Закажут гроб, взведут курок.
Короче жизнь — короче срок,
А значит, век свободы не видать.

МИЛАЯ ОДЕССА-МАМА

* * *

Виднеются в тумане огоньки,
И корабли уходят в море прямо.
Поговорим за берега твои,
О, милая моя Одесса-мама!

Города, конечно, есть везде,
Каждый город чем-нибудь известен,
Но такого не найти нигде.
Как моя красавица Одесса.

Вену и Париж я исходил,
Много улиц поступью отметил,
Но даю зарок — чтоб я так жил! —
Лучше Дерибасовской не встретил.

Девочки дарили нам цветы.
Спору нет — красивы парижанки,
Но красивей их во много раз
Сонька, что живет на Молдаванке.

Здесь знакомо каждое окно.
Здесь девушки хорошие такие!
Одесса, мне не пить твое вино
И не утюжить клешем мостовые.

Город Вена — прямо хоть куда!
Говорят, красивей не бывает.
Но Одессу-маму никогда
Я на эту Вену не сменяю.

Виднеются в тумане огоньки,
И корабли уходят в море прямо.
Поговорим за берега твои,
О, милая моя Одесса-мама!

* * *

Из всех известных в мире городов
Я больше всех Одессу уважаю.
И буду воспевать у берегов,
Где мысленно встаю и засыпаю...

Ровнее улиц в мире нет нигде,
И с кем хотите я поспорю:
Кудой в Одессе не пойдешь,
Тудою можно выйти к морю.

Одесский вор — он тоже знаменит:
С другими нету никакого сходства.
Япончик Миша, пусть он был бандит,
Но сколько в нем печати благородства!

Иль возьмем, к примеру, Беню Крик...
Вы Молдаванки короля не знали?
Какой размах, какой бандитский шик;
Знакомство с ним за почесть почитали.

И чтоб я с места этого не встал,
Скажу вам точно и определенно:
Утесов никогда бы им не стал
Без Молдаванки и без Ланжерона.

За Бальзака не буду говорить,
Что он во Франции набрался вдохновенья,
Но Саша Пушкин тем и знаменит,
Что здесь он вспомнил чудного мгновенья.

«Благодаря кому вы стали поэтессой? —
У Веры Инбер я хотел спросить. —
Все знают, что вы — тетя из Одессы,
Так обо что мы будем говорить?»

А Эмма Гилельс! Кто ж его не знает?!
У нас его дразнили Милька-рыжий.
Теперь он за Одессу забывает
И помнит только Лондона с Парижем.

Примером всем актерам и актрисам
Наш Оса, как маяк, стоит.
Пускай теперь он пишется Борисов,
Но он же стопроцентный одессит.

А Дорик Ойстрах — чтоб он был здоров! —
Его же вся Италия боится,
Его же скрипки звук таков,
Что вся Одесса им гордится!

Я за Одессу вам веду рассказ:
Бывают драки с матом и без мата,
Но если вам в Одессе выбьют глаз,
То этот глаз увставит вам Филатов.

Одесса-мама радует мой глаз,
И об ее вздыхает моя лира,
И верю я, что недалек тот час,
Когда Одесса станет центром мира!

* * *

На Молдаванке музыка играет.
Кругом веселье пьяное бурлит.
Там за столом доходы пропивает
Пахан Одессы — Костя Инвалид.

Сидит пахан в отдельном кабинете
И поит Маньку розовым винцом
И, между прочим, держит на примете
Ее вполне красивое лицо.

Он говорит, бокалы наливая,
Вином шампанским душу горяча:
«Послушай, Маша, детка дорогая,
Мы пропадем без Кольки Ширмача.

Живет Ширмач на Беломорканале,
Толкает тачку, двигает киркой,
А фраера вдвойне богаче стали...
Кому же взяться опытной рукой?

Ты поезжай-ка, милая, дотуда
И обеспечь фартовому побег,
Да поспеши, кудрявая, покуда
Не запропал хороший человек».

Вот едет Манька в поезде почтовом,
И вот она — у лагерных ворот.
А в это время с зорькою бубновой
Идет веселый лагерный развод.

Шагает Колька в кожаном реглане,
В глаза бьет блеск начищенных сапог
В руках он держит важные бумаги,
А на груди — ударника значок.

«Ах, здравствуй, Маша, здравствуй, дорогая,
Как там в Одессе — в розовых садах?
Скажи там всем, что Колька вырастает
В героя трассы в пламени труда.

Скажи, что Колька больше не ворует
И всякий блат навеки завязал,
Что понял жизнь он новую, другую,
Которую дал Беломорканал.

Прощай же, Маша, помни о Канале.
Одессе-маме передай привет!..»
И вот уж Манька снова на вокзале —
Берет обратный литерный билет.

На Молдаванке музыка играет.
Кругом веселье пьяное бурлит.
Там за столом, бокалы наливая,
Пахан такие речи говорит:

«У нас, ворья, суровые законы,
Но по законам этим мы живем.
И если Колька честь вора уронит,
То мы его попробуем пером».

Но Манька встала, встала и сказала:
«Его не тронут — в этом я ручусь!
Я поняла значение Канала,
Как Николай, и этим я горжусь!»

И Манька вышла. Кровь заледенило.
Один за Манькой выскочил во двор:
«Погибни, сука, чтоб не заложила,
Умри, паскуда, — или я не вор!»

А на Канал приказ отправлен новый,
Приказ суровый: марануть порча!
И как-то утром с зорькою бубновой
Не стало Кольки, Кольки Ширмача.

С ОДЕССКОГО КИЧМАНА

С одесского кичмана сбежали два уркана,
Сбежали два уркана в дальний путь.
Они остановились на княжеской могиле,
Они остановились отдохнуть.

Товарищ, товарищ, болять мои раны,
Болять мои раны на боке.
Одная заживаеть, другая нарываеть,
А третия засела в глыбоке.

Товарищ, товарищ, товарищ малахольный,
За что ж мы проливали нашу кров?
За крашеные губки, коленки ниже юбки,
За эту за проклятую любов?

Они же там пирують, они же там гуляють,
А мы же попадаем в переплет:
А нас уже догоняють, а нас уже накрывають,
По нас уже стреляеть пулемет.

За что же ж мы боролись, за что же ж мы страждали?
За что ж мы проливали нашу кров?
Они же там гуляють, карманы набивають,
А мы же отдаваем сыновьев.

Товарищ, товарищ, скажи моёй ты маме,
Что сын ее погибнул на посте:
И с шашкою в рукою, с винтовкою в другою,
И с песнею веселой на усте.

* * *

Зачем вам, граждане, чужая Аргентина?
Я расскажу вам всю историю раввина,
Который жил в роскошной обстановке
В большом столичном городе Каховке.

В Каховке славилася дочь раввина — Ента,
Такая тонкая, как шелковая лента,
Такая белая, как чистая посуда,
Такая умная, как целый том Талмуда.

И женихов у Енты много было наших —
Мясник Абраша и цехмейстер дядя Яша.
И каждый день меняла Яшу на Абрашу...
Ох, эта Ента очень ветрена была!

Но вот свершилась революция в Каховке,
Переворот случился в Ентиной головке.
Приехал новый лох-директор Бумпромтреста,
И Ента не находит себе места.

Такой красивый он, и он такой здоровый —
Иван Иваныч, лох, красавец чернобровый,
И в галифе, и френч почти что новый,
И сапоги из настоящего шевра.

Приходит вечером раввин из синагоги,
Его уж Ента не встречает на пороге,
А на столе лежит письмо в четыре слова:
«Прощай, уехала! Гражданка Иванова».

«О, Боже мой, скажите, что ж такое,
Приехал он ко мне и делает смурное.
Пошли холеру ему в бок и все такое,
Пускай он только возвратит мне мою дочь!»

Раввин наш Лейба шлет проклятье Богу,
Не ходит больше по субботам в синагогу,
Забыто все еврейское, родное —
Читает «Красный луч» и кушает трефное.

Что вам, товарищи, чужая Аргентина?
Я рассказал вам всю историю раввина,
Который дочь свою отправил прямо к бесу,
Сам сел на пароход и укатил в Одессу!

Там сбрил он бороду и стал одесским франтом,
Интересуется валютой и брильянтом,
Уже не ходит по субботам в синагогу —
Танцует только аргентинское танго.

* * *

Это было в городе Одессе,
Где воров немалое число.
Катера там ходят беспрестанно,
Девки любят карты и вино.

Завелася там одна девчонка,
За нее пускали финки в ход.
За ее красивую походку
Костя пригласил ее в кино.

— В крепдешины я тебя одену,
Лаковые туфли нацеплю,
Золотую брошь на грудь повешу
И с тобой на славу заживу.

— Крепдешины ты нигде сейчас
не купишь,
Лаковые туфли не найдешь,
Потому что нет их в магазине,
А на рынке ты не украдешь.

Костя не стерпел такой обиды,
Кровью налилось его лицо,
Из кармана вытащил он финку
И всадил под пятое ребро.

Это было в городе Одессе.
Где воров немалое число,
Катера там ходят беспрестанно,
Девки любят карты и вино.

ЭТО БЫЛО В ГОРОДЕ ОДЕССА

Это было в городе Одесса.
Много там блатных и фраеров,
Там заборы служат вместо прессы,
Девки любят карты и вино.

Там жила одна девчонка Женя.
За нее пускались финки в ход.
За ее красивую походку
Колька обещал сводить в кино.

«В крепдешины я тебя одену,
Лаковые туфли я куплю,
Золотой кулон на грудь повешу
И с тобой на славу заживу».

«Крепдешины ты нигде не купишь,
Лаковые туфли не найдешь:
Потому как нет их в магазине,
На базаре тоже не возьмешь».

Колька не стерпел такой обиды.
Кровью налилось его лицо.
Из кармана выхватил он финку
И вогнал под пятое ребро.

«Ты меня не любишь, не жалеешь,
Или я тебе не угодил.
Без тебя вся жизнь мне как отрава,
Вот за что себя я погубил».

Это было в городе Одесса.
Много там блатных и фраеров,
Там заборы служат вместо прессы,
Девки любят карты и вино.

БАБУШКА ЗДОРОВА

Угол Дерибасовской, угол Ришельевской
В восемь часов вечера облетела весть:
У столетней бабушки, бабушки-старушки,
Шестеро налетчиков отобрали честь.

Припев
Гоц-тоц первертоц, бабушка здорова,
Гоц-тоц первертоц, кушает компот,
Гоц-тоц первертоц, и мечтает снова,
Гоц-тоц первертоц, пережить налет.

Бабушка вздыхает, бабушка страдает,
Потеряла бабушка и покой, и сон.
Двери все открыты, но не идут бандиты.
Пусть придут не шестеро — хотя бы вчетвером.

Припев

Не выходит бабушка из дому на улицу,
Принимает бабушка на ночь порошок.
Вынимает к вечеру жареную курицу,
Пусть придут не четверо, хотя б один пришел.

Припев

Не гуляют бедные и не пьют налетчики,
Не пугают бабушек, к ним врываясь в дом.
Не кутят с девицами, лечатся налетчики:
Принимают доктора сразу вшестером.

Припев

С той поры все бабушки, бабушки-старушки,
Двери нараспашку любят оставлять,

Но теперь молодчики — грозные налетчики —
Бабушек не смеют больше обижать.

Припев
Гоц-тоц первертоц, бабушка здорова,
Гоц-тоц первертоц, кушает компот,
Гоц-тоц первертоц, и мечтает снова,
Гоц-тоц первертоц, пережить налет.

* * *

На Молдаванке, на самой окраине —
Это было весенней порой —
Из кино вдвоем с милой дамочкой
Шел шикарно одетый пижон.

Вдруг откуда-то с переулочка
Двое типов навстречу идут:
— Угости-ка нас папиросочкой!
Не сочти, товарищ, за труд!..

А на ней была шубка беличья,
А на нем воротник из бобра;
А как вынул он портсигарчик свой —
В нем без малого фунт серебра.

Завели они их в сад заброшенный,
Где кирпич выстилает проход.
— Вы присядьте-ка на кирпичики
Да скидайте свое барахло.

Тут захныкала горько дамочка,
Рукавом утирая слезу:
— Как же я пойду по грязи такой?
Я домой ведь совсем не дойду.

Тут сказал ей бандит наставительно:
— Выбирайте посуше где путь.
И по камушкам, по кирпичикам
Доберетесь домой как-нибудь.

Жаль, что не было там фотографа.
Он хороший заснял бы портрет:
Дама в шляпочке и бюстгальтере,
А на нем и того даже нет!

* * *

Ах, какая драма,
Пиковая дама
Жизню перепортила мою.
А теперь я бледный,
И худой, и бедный,
Здесь на Дерибасовской стою.

Раз гляжу я между —
Дамочка вразрез.
Я имел надежду,
А теперь я без.

Мальчики, на девочек
Не кидайте глаз —
Все, что есть в карманах,
Вытряхнут из вас.

Дамочка, взгляните:
Я у ваших ног.
Впрочем, извините —
Вот вам кошелек.

Пиковая дама,
Бан шумит давно.
Говорила мама:
Не води в кино.

Если бы послушал
Мамочку малец,
Я б сейчас не кушал
Этот баландец.

Девочка на воле,
Я сижу в тюрьме

И мечтаю вскоре
Видеть всех во сне.

Вот промчались годы.
Вот последний шмон.
Я вышел на свободу
Выжат как лимон.

Ах, какая драма,
Пиковая дама!
Жизнь она испортила мою!
И теперь я бедный,
И худой, и бледный,
Вам на Дерибасовской пою!

* * *

Прибыла в Одессу банда из Ростова.
В банде были урки, шулера.
Банда направляла темными делами,
И за ней следила Губчека.

В банде была баба, звали ее Мурка —
Хитрая и смелая была!
Даже злые урки все боялись Мурки,
Воровскую жизнь она вела.

Вдруг пошли провалы, начались обвалы,
Много стало наших пропадать.
Как узнать скорее, кто же стал шалавой,
Чтобы за измену покарать?

Раз пошли на дело, выпить захотелось,
Мы зашли в шикарный ресторан.
Там сидела Мурка в кожаной тужурке,
Из кармана брюк торчал наган.

«Разве тебе, Мурка, плохо было с нами?
Разве не хватало барахла?
Что ж тебя заставило связаться с лягашами
И пойти работать в Губчека?

Мурка, в чем же дело? Что ты не имела?
Разве я тебя не одевал?
Кольца и браслеты, юбки и жакеты
Разве я тебе не добывал?

Здравствуй, моя Мурка, здравствуй, дорогая.
Здравствуй, дорогая, и прощай!
Ты зашухерила всю нашу малину
И за то маслину получай!»

* * *

Шел трамвай десятый номер,
На площадке кто-то помер.
Тянут, тянут мертвеца,
Лампа-дрица-о-цаца.

Подъехала карета,
В карете места нету —
Все мертвы там от винца,
Лампа-дрица-о-цаца.

Вот народ какой упрямый!
Я не мертвый — просто пьяный.
Раздавил я полбанца —
Лампа-дрица-о-цаца.

И в руках я, хоть и пьян,
Все сжимаю чемодан.
В чемодане том маца,
Лампа-дрица-о-цаца!

Рано утром я очнулся,
К чемодану потянулся.
Что такое? Где маца?
Лампа-дрица-о-цаца.

Говорят: твое печенье
Что без сахара варенье.
Мол, плевались без конца,
Лампа-дрица-о-цаца!

Свой таскаешь чемодан,
Чтоб обманывать славян!
Будем драть тя, подлеца,
Лампа-дрица-о-цаца!

ОДЕССКАЯ СВАДЬБА

Мы все женились, но куплеты распевали.
Тарарым-бары гопцем-це-це мама-у.
Я расскажу вам об одной одесской свадьбе.
Тарарым-бары гопцем-це-це мама-у.
А свадьба весело идет,
Жених сидит как идиот
И невесте на ухо поет:

Припев
(Да-да-да)
Гоц-тоц, Зоя,
Зачем давала стоя
В чулочках, что тебе я подарил?
Иль я тебя не холил,
Иль я тебя не шворил,
Иль я тебя, паскудка, не любил?

Тебя ж не спрашивают, где все бриллианты!
Тарарым-бары гопцем-це-це мама-у.
Тебе дарил цветы, духи и фолианты.
Тарарым-бары гопцем-це-це мама-у.
Но ты не ценишь мой презент,
Ведь для тебя интеллигент —
Все равно что фраер-элемент.

Припев

Вот фонари зажглись по всей Преображенской.
Тарарым-бары гопцем-це-це мама-у.
Пришел тут Васька Штырь — ходок по части женской.
Тарарым-бары гопцем-це-це мама-у.
А я когда-то был один
И был красавец и блондин,
Еще имел бумажный магазин.

Припев

Ее папаша был большой знаток бонтона.
Тарарым-бары гопцем-це-це мама-у.
В разгар веселья занял пост у патефона.
Тарарым-бары гопцем-це-це мама-у.
И тут вошли все гости в раж,
И уж сняла свекровь корсаж...
Ну прямо настоящий вернисаж!

Припев

Но вот к концу уже подходит наша свадьба.
Тарарым-бары гопцем-це-це мама-у.
Теперь неплохо серебро пересчитать бы...
Тарарым-бары гопцем-це-це мама-у.
Пока жених еще потел,
Там кто-то крикнул между дел:
«Никто еще невесту не имел?!»

Припев
(Да-да-да)
Гоц-тоц, Зоя,
Зачем давала стоя
В чулочках, что тебе я подарил?
Иль я тебя не холил,
Иль я тебя не шворил,
Иль я тебя, паскудка, не любил?

Я — ИЗ ОДЕССЫ

Я — одессит. Я — из Одессы. Здрасьте!
Хочу открыть вам маленький секрет.
Спросите вы: имею ли я счастье?
И я отвечу: чтобы да, так нет.

Припев
Но я не плачу, никогда не плачу,
Ведь у меня другие интересы.
И я шучу — я не могу иначе —
Да потому, что родом из Одессы.

Мой старший брат, чудак невероятный,
Перед расстрелом спел такой куплет:
«Ой, мама-мамочка, роди меня обратно»,
Хоть был погром — и год как мамы нет.

Припев

Со мной бандит сыграл недавно сценку,
Меня у дома догола раздев,
Он так сказал: «Ты видишь эту стенку —
Я из тебя устрою барельеф».

Припев
Но я не плачу, никогда не плачу,
Ведь у меня другие интересы.
И я шучу — я не могу иначе —
Все потому, что родом из Одессы.

* * *

На Дерибасовской открылася пивная.
Там собиралася компания блатная.
Там были девочки Маруся, Роза, Рая
И ихний спутник Васька Шмаровоз.

Тот Васька был вполне приличный,
милый мальчик,
Который ездил побираться в город Нальчик,
И возвращался на машине марки Форда,
И шил костюмы элегантно, как у лорда.

Походкой ровною под коммивояжера
Являлся каждый вечер сам король моншера.
Махнув оркестру повелительно рукою,
Он говорил: «Одно свиное отбивное!»

Но вот вошла в пивную Роза Молдаванка,
Прекрасная, как тая древняя вакханка,
И с ней вошел ее всегдавишний попутчик
И спутник жизни Васька Шмаровоз.

Держась за тохес, словно ручку у трамвая,
Он говорил: «О моя Роза дорогая!
Я вас прошу, нет — я вас просто умоляю
Сплясать со мной мое прощальное танго».

Но тут Арончик пригласил ее на танец,
Он был для нас тогда почти что иностранец.
Он пригласил ее галантерейно очень
И посмотрел на Шмаровоза между прочим.

Красотка Роза танцевать с ним не хотела,
Она и с Ваською достаточно вспотела.
Но улыбнулася в ответ красотка Роза,
И закраснелась морда Васьки Шмаровоза.

И он сказал в изысканной манере:
«Я б вам советовал пришвартоваться к Мэри,
Чтоб мне в дальнейшем не обидеть вашу маму» —
И отошел, надвинув белую панаму.

Услышал реплику маркер известный, Моня,
О чей хребет сломали кий в кафе «Бонтоне», —
Побочный сын мадам Олешкер, тети Песи, —
Известной бандерши в красавице Одессе.

Он подошел к нему походкой пеликана,
Достав визитку из жилетного кармана:
«Я б вам советовал, как говорят поэты,
Сберечь на память о себе свои портреты».

Но тот Арончик был натурой очень пылкой
И врезал Моничку по кумполу бутылкой.
Официанту засадил он в тохес вилкой,
И началось тогда салонное танго.

На Аргентину это было не похоже.
Вдвоем с приятелем мы получили тоже.
И из пивной нас выбросили разом —
И с шишкою, и с фонарем под глазом.

Когда мы все уже лежали на панели,
Арончик все-таки дополз до Розы с Мэри.
И он сказал, от страсти пламенея:
«Ах, Роза, или вы не будете моею!

Я увезу тебя в мой город, у Батуми.
Ты будешь кушать там кишмиш, рахат-лукуми.
Я, как цыпленка, тебя с шиком разодену,
А ночь придет — я сам до ниточки раздену.

Я, как собака, стеречь буду твое тело,
Чтоб даже вошка укусить тебя не смела.
А чтоб к тебе не привилась зараза,
Я в баню буду в год водить тебя два раза.

Я все богатство дам и прелести за это,
А то ты ходишь, извиняюсь, без браслета,
Без комбине, без фильдекосовых чулочек
И, как я только что заметил, без порточек».

Давно закрылась эта славная пивная.
Не собирается компания блатная.
И где ж вы, девочки Маруся, Роза, Рая?
И где ваш спутник Васька Шмаровоз?

* * *

Серебрился серенький дымок,
Таял в золотых лучах заката.
Песенку принес мне ветерок —
Ту, что пела милая когда-то.

Жил в Одессе славный паренек.
Ездил он в Херсон за голубями.
И вдали мелькал его челнок
С белыми, как чайка, парусами.

Голубей он там не покупал,
А ходил и шарил по карманам.
Крупную валюту добывал.
Девушек водил по ресторанам.

Но пора суровая пришла:
Не вернулся в город он родимый.
И напрасно девушка ждала
У фонтана в юбке темно-синей.

Кто же познакомил нас с тобой?
Кто же нам принес печаль-разлуку?
Кто на наше счастье и покой
Поднял окровавленную руку?

Город познакомил нас с тобой.
Лагерь нам принес печаль-разлуку.
Суд на наше счастье и покой
Поднял окровавленную руку.

А за это я своим врагам
Буду мстить жестоко, верь мне, детка!
Потому что воля дорога,
А на воле я бываю редко.

Серебрился серенький дымок,
Таял в золотых лучах заката.
Песенку принес мне ветерок —
Ту, что пела милая когда-то.

АБРАША

Имел Абраша состоянья миллион,
И был Абраша этот в Ривочку влюблен,
В Ривочку-брюнеточку, смазливую кокеточку,
И песенку всегда ей напевал:
«Ах, Рива, Ривочка, ах, Рива, Рива-джан,
Поедем, Ривочка, с тобой в Биробиджан,
Поедем в край родной, поедем к нам домой,
Там будешь, Рива, законной мне женой».

Когда же Гитлер объявил нам всем войну,
Ушел Абраша защищать свою страну.
Пошла пехота наша, а с нею наш Абраша,
И песенку такую он запел:
«Ах, Рива, Ривочка, любимая жена,
Нас посылает в бой великая страна.
Туда, где ширь полей, далёко от друзей
Я отправляюсь, Рива, честно, как еврей».

Запели пули у него над головой.
Упал Абраша наш ни мертвый ни живой.
Упал, за грудь схватился и с Ривочкой простился,
И песенку такую он запел:
«Ах, Рива, Ривочка, любимая жена,
Нас посылала в бой великая страна.
И здесь, где ширь полей, вдали от всех друзей
Я умираю, Рива, честно, как еврей».

Пока на фронте наш Абраша умирал,
Другой у Ривочки Абраша заседал.
Он толстый и пузатый, он рыжий и косматый
И песенку такую напевал:

«Ах, Рива, Ривочка, ах, Рива, Рива-джан,
Поедем, Ривочка, с тобою в Ереван,
Поедем в край родной, поедем к нам домой.
Там будешь, Рива, законной мне женой».

У СОНЬКИ ИМЕНИНЫ

Так собирайтесь же, брюнеты и блондины!
А Мендель Рыжий будет речь свою держать.
У нашей Сонечки сегодня именины,
И вся Одесса должна об этом знать.

Припев
Тарара-рач, тач-тач, тарара-рара,
Одесса-мама первернулась, гоп-ца-ца.

В дверях раздался звоночек очень длинный.
Дверь отворилась — перед нею мент стоял.
А это значит, что у Соньки именины
И сам легавый ей подарочек прислал.

Припев

Вот подвалили гости в погребочек винный.
А ну-ка, дядя, наливай-ка нам вина!
А это значит, что у Соньки именины,
И вся Одесса об этом знать должна.

Припев

А ну-ка, Сонечка, взбивай свою перину,
Ложись скорее на скрипучую кровать.
Ведь у тебя сегодня именины,
И я пришел тебя поцеловать.

Припев
Тарара-рач, тач-тач, тарара-рара,
Одесса-мама первернулась, гоп-ца-ца.

САРА

Полюбил я Сару
И на ней женился.
До чего красивая была!
Все вокруг соседки
Опасались Сары —
Половую жизнь она вела.

Раз пошли на дело
Я и Рабинович.
Рабинович выпить захотел.
Отчего ж не выпить
Бедному еврею,
Если у него нет срочных дел?!

Если хочешь выпить,
Значит, надо выпить,
И зашли мы с ним в один буфет.
Там сидела Сара,
У нее под юбом
Дробом был заряжен арбалет.

Чтоб не завалиться,
Мы решили смыться,
Но за это Саре отомстить.
В темном переулке,
Возле синагоги,
Мы решили Сару подстрелить.

Мы позвали Мойшу,
Мойша — уголовник,
Мойша свою пушку зарядил,
В темном переулке,
Возле синагоги,
Мойша речь такую закатил:

«Здравствуй, моя Сара,
Здравствуй, дорогая,
Здравствуй, моя Сара, и прощай:
Ты зашухерила
Арона с Соломоном
И теперь маслину получай!»

Стрельнул Рабинович,
Стрельнул — промахнулся
И попал немножечко в меня.
Я лежу в больнице,
Сволочь Рабинович
С Сарой пьет уже четыре дня.

ЛЮБВИ ОКУТАН АРОМАТОМ

КАКИМ ТЫ МЕНЯ ЯДОМ НАПОИЛА?

Каким ты меня ядом напоила?
Каким меня огнем воспламенила?
О, дай мне ручку нежную,
Щечку белоснежную,
Пламенные, трепетные губки.

Все друзья смеются надо мною,
Разлучить хотят меня с тобою.
Но ты будь уверена
В горячей любви моей.
Жизнь моя погублена тобою.

Что я буду делать без тебя?
Пропадает молодость моя.
Из-за счастья своего
Возле дома твоего
Плачу и рыдаю, дорогая.

Каким ты меня ядом напоила?
Каким меня огнем воспламенила?
О, дай мне ручку нежную,
Щечку белоснежную,
Пламенные, трепетные губки.

* * *

Помнишь вечер, чудный вечер мая,
И луны сияющий овал?
Помнишь, целовал тебя, родная,
Про любовь и ласки толковал?

И, любви окутан ароматом,
Заикался, плакал и бледнел.
Ох, любовь, ты сделала солдатом
Жулика, который залетел.

Залетел он из-за этих глазок,
Погорел он из-за этих глаз.
Ох, судьба, ты знаешь много сказок,
Но такую слышишь в первый раз.

Он теперь тревожными ночами
Прижимает к сердцу автомат,
Говорит душой, а не речами,
Бывший урка, а теперь солдат.

Где ты, дорогая, отзовися?
Бедный жулик плачет о тебе.
А вокруг желтеющие листья
Падают в осенней полумгле.

Может, фраер в галстучке атласном —
Он тебя целует у ворот,
Но, судьба, смеешься ты напрасно:
Урка все равно домой придет.

Он еще придет с победой славной,
С орденами на блатной груди.
Но тогда на площади на главной
Ты его с букетами не жди.

Помнишь вечер, чудный вечер мая,
И луны сияющий овал?
Помнишь, целовал тебя, родная,
Про любовь и ласки толковал?

СИГАРЕТА

Если милая уходит,
Я грустить о ней не буду —
Закурю я сигарету
И о ней я позабуду.

Припев
Сигарета, сигарета,
Ты одна не изменяешь.
Я люблю тебя за это.
Ты сама об этом знаешь.

И зимой, и летом знойным
Я люблю дымок твой тонкий
И привязан к сигарете
Даже больше, чем к девчонке.

Припев

Ну а если вдруг случайно
Снова милая вернется,
Закурю я сигарету —
Голубой дымок завьется.

Припев
Сигарета, сигарета,
Ты одна не изменяешь.
Я люблю тебя за это.
Ты сама об этом знаешь.

СИРЕНЕВЫЙ ТУМАН

Сиреневый туман над нами проплывает.
Над тамбуром горит печальная звезда.
Кондуктор не спешит, кондуктор понимает,
Что с девушкою я прощаюсь навсегда.

Последнее прости с любимых губ слетает.
Прощаюсь не на год и даже не на два.
Сегодня навсегда друг друга мы теряем.
Еще один звонок — и уезжаю я.

Быть может, никогда не встретятся дороги.
Быть может, никогда не скрестятся пути.
Прошу тебя: забудь сердечные тревоги,
О прошлом не грусти, за все меня прости.

Вот поезд отошел. Стихает шум вокзала.
И ветер разогнал сиреневый туман.
И ты теперь одна, на все готовой стала:
На нежность и любовь, на подлость и обман.

ПРИМОРИЛИ, ГАДЫ

Приморили, гады, приморили,
Загубили молодость мою.
Золотые кудри поседели.
Знать, у края пропасти стою.

Всю Сибирь прошел в лаптях разбитых.
Слушал песни старых пастухов.
Надвигались сумерки густые.
Ветер дул с охотских берегов.

Ты пришла, как фея в сказке давней,
И ушла, окутанная в дым.
Я остался тосковать с гитарой,
Оттого что ты ушла с другим.

Зазвучали жалобно аккорды,
Побежали пальцы по ладам.
Вспомнил я глаза твои большие
И твой тонкий, как у розы, стан.

Много вынес на плечах сутулых,
Оттого так жалобно пою.
Здесь, в тайге, на Севере далеком,
По частям слагал я песнь свою.

Я люблю развратников и воров
За разгул душевного огня.
Может быть, чахоточный румянец
Перейдет от них и на меня.

Приморили, гады, приморили,
Загубили молодость мою.
Золотые кудри поседели.
Знать, у края пропасти стою.

ВДОЛЬ ПО РЕЧКЕ, РЕЧКЕ

Вдоль по речке, речке утки плавают.
Мы живем на разных берегах.
Приходил к тебе, девчонка славная,
И стоял в пятнадцати шагах.

Припев
Река-речонка,
Милая девчонка!
Мне так хотелось ближе подойти!
А утки: кря-кря-кря,
Кричали: зря-зря-зря
Ты хочешь счастье здесь найти!
А утки: кря-кря-кря,
Кричали: парень, зря
Ты хочешь счастье здесь найти!

Ты белье стирала, босоногая.
Молча я смотрел издалека.
Мысленно твои я кудри трогаю,
Мысленно целую я тебя.

Припев

Рву я, дурень, собственные волосы —
Кто-то ту речонку переплыл,
Покорился ласковому голосу
И девчонку тоже покорил.

Припев

Ох, тоска моя, тоска осенняя!
Кто б тебя, тоска моя, унял?
Потерял ведь не иголку в сене я,
А свою девчонку потерял.

Припев
Река-речонка,
Милая девчонка!
Мне так хотелось ближе подойти!
А утки: кря-кря-кря,
Кричали: зря-зря-зря
Ты хочешь счастье здесь найти!
А утки: кря-кря-кря,
Кричали: парень, зря
Ты хочешь счастье здесь найти!

* * *

Жаль мне покинуть тебя, черноокую!
Ночь нас накрыла крылом.
Эх, да налейте мне чару глубокую
Пенистым красным вином!

Есть у меня кофточка, скоком добытая,
Шубка на лисьем меху.
Будешь ходить ты вся золотом шитая,
Спать на лебяжьем пуху.

Знаю: за долю свою одинокую
Много я душ погубил.
Я ль виноват, что тебя, черноокую,
Больше, чем жизнь, полюбил?

Что ж затуманилась, зоренька ясная,
Пала на землю росой?
Что ж пригорюнилась, девица красная,
Глазки налились слезой?

Как мне покинуть тебя, черноокую!
Ночь нас накрыла крылом.
Эх, да налейте мне чару глубокую
Пенистым красным вином!

БАБЬЕ ЛЕТО

Отшумело, отзвенело бабье лето,
Перепутал паутиной листья ветер.
И сегодня журавли собрали стаю,
И кричат они, над нами пролетая.

Над землею опустился вечер синий.
Сколько раз тебя ругал я без причины.
Убегал к другой девчонке то и дело.
И в глазах своих слезинки ты терпела.

Но сегодня ветер гонит злые тучи.
Ты ушла к другому — он, наверно, лучше.
Отчего ж, его лаская у рябины,
Ты грустишь при виде стаи журавлиной?

Знаю я, что ты меня все так же любишь.
Знаю я, что ты меня не позабудешь.
Оттого, его лаская у рябины,
Ты грустишь при виде стаи журавлиной.

Отшумело, отзвенело бабье лето.
Перепутал паутиной листья ветер.
И сегодня журавли собрали стаю
И прощаются, над нами пролетая.

ОТЧЕГО ЭТО НЫНЧЕ

Отчего это нынче мне немного взгрустнулось,
Отчего это нынче мне припомнились вновь
И прошедшее счастье, и ушедшая юность,
И былая удача, и былая любовь?

Знать, осталась на сердце незажившая рана.
Эту боль, эту память я пронес сквозь года.
Помню, мы танцевали сумасшедшее танго,
И казалось, что это будет длиться всегда.

Ничего в этой жизни у меня не осталось,
Ни гроша за душою у меня не найдешь.
Только грустное танго да унылая старость,
Только желтое фото да сентябрьский дождь.

Отчего это нынче мне немного взгрустнулось,
Отчего это нынче мне припомнились вновь
И прошедшее счастье, и ушедшая юность,
И былая удача, и былая любовь?

* * *

«Что с тобою, мой маленький мальчик?
Если болен — врача позову». —
«Мама, мама, мне врач не поможет:
Я влюбился в девчонку одну.

У нее, мама, рыжая челка,
Голубые большие глаза.
Юбку носит она шантеклерку
И веселая, как стрекоза».

«Знаю, знаю, мой маленький мальчик,
Я сама ведь такою была:
Полюбила отца-хулигана
За его голубые глаза.

Хулигана я страстно любила,
Прижималась к широкой груди.
Как не вижу — безумно тоскую,
Как увижу — боюсь подойти.

Хулиган был красив сам собою,
Пел, плясал, на гитаре играл.
Как увидел, что я в положенье,
Очень быстро куда-то пропал.

Для кого ж я росла-вырастала,
Для кого ж я, как роза, цвела?
До семнадцати лет не гуляла,
А потом хулигана нашла.

Рано, рано его полюбила,
Рано, рано гулять с ним пошла.
Очень рано я матерью стала,
Хулигану всю жизнь отдала».

* * *

На руке моей вьется колечко,
Это все, что осталось от счастья,
Ах, зачем! – над туманною речкой
От негаданно вспыхнувшей страсти!

Ах, как больно, как больно сердце бьется,
Отбивая горестный вопрос:
Отчего она уж не вернется,
Ах, отчего в любви так много слез?

Зноем вспыхнуло лето мятежное,
В жарких ласках сгорало сердечко.
Целовались так страстно, так нежно,
И блестело на солнце колечко.

Прозвучало как гром, что не любишь,
И, рыдая над темною речкой,
Поняла я, что счастья не будет,
И мерцало, как слезка, колечко.

Ах, как больно, как больно сердце бьется,
Отбивая горестный вопрос:
Отчего она уж не вернется,
Ах, отчего в любви так много слез?

* * *

Помню, помню, мальчик я босой
В лодке колыхался над волнами,
Девушка с распущенной косой
Мои губы трогала губами.

Иволга поет над родником,
Иволга в малиннике тоскует.
Отчего родился босяком,
Кто и как мне это растолкует?

Ветви я к груди своей прижму,
Вспомню вдруг про юность и удачу,
Иволгу с малинника спугну,
Засмеюсь от счастья и заплачу.

Помню, помню, мальчик я босой
В лодке колыхался над волнами,
Девушка с распущенной косой
Мои губы трогала губами.

* * *

В оркестре играют гитара и скрипка,
Шумит полупьяный, ночной ресторан,
Так что же ты смотришь с печальной улыбкой
На свой недопитый с шампанским бокал?

Ту черную розу — эмблему печали —
В тот памятный вечер тебе я принес.
Мы оба сидели, мы оба молчали,
Нам плакать хотелось, но не было слез.

Любил я когда-то цыганские пляски
И пару гнедых полудиких коней,
То время прошло, пролетело, как в сказке,
И вот я без ласки, без ласки твоей.

А как бы хотелось начать все сначала,
Начать все сначала, все снова начать —
Слезою залиться, смотреть в твои очи
И жгучие губы твои целовать.

В оркестре играют гитара и скрипка,
Шумит полупьяный ночной ресторан,
Так что же ты смотришь с печальной улыбкой
На свой недопитый с шампанским бокал?

* * *

Как у нас под окном расцветает сирень,
Расцветают душистые розы.
В моем сердце больном пробудилась любовь,
Пробудились горячие слезы.

Я все счастья ждала в эту лунную ночь,
В эту лунную ночь роковую.
И, рыдая, в слезах от него я ушла,
Потому что он любит другую.

Так люби ты ее, как любил горячо,
Наслаждайся ты ею одною.
А меня ты забудь, и забудь поскорей —
О тебе я забуду не скоро!

А ТЫ ХОХОЧЕШЬ

А ты хохочешь, ты все хохочешь.
Кто-то снял тебя в полный рост.
Хороводишься, с кем захочешь,
За так много отсюда верст.

А у меня здесь лишь снег да вьюги,
Да злой мороз берет в свои тиски,
Но мне жарче здесь, чем тебе на юге,
От моей ревности и тоски.

Обмороженный и простуженный,
Я под ватником пронесу
Сквозь пургу, мороз фото южное —
Обнаженную твою красу.

А ты хохочешь, ты все хохочешь.
Совсем раздетая в такой мороз!
Хороводишься, с кем захочешь,
За семь тысяч отсюда верст.

* * *

Я спешил, и кружился снег,
По дороге метель мне пела.
Я пришел и сказал тебе:
«Хочешь, буду твоим Ромео?»

Ты ушла, и кружился снег,
Под ногами скрипя, сверкая.
Еще долго обидный смех
Раздавался в ушах, стихая.

Пролетело немало дней.
И однажды в начале лета
Ты пришла и сказала мне:
«Хочешь, буду твоей Джульеттой?»

Я смотрел тебе долго вслед
И грустил, что мир создан подло:
Почему этот твой ответ
Прозвучал так ужасно поздно?

Что не сбылось — зачем грустить?
Мы давно ведь с тобой не дети.
Все же очень прошу: прости,
Только нынче другую встретил.

НА УЛИЦЕ ОСЕННЕЙ

На улице Осенней,
Где было три сосны,
Со мной прощался милый
До будущей весны.

Прощался он и клялся,
Что буду я его.
Все время повторяла я:
«Не быть мне за тобой».

Однажды мне приснился
Тревожный, странный сон:
Мой миленький женился,
Нарушил клятву он.

Но я над сном смеялась
При ясном свете дня:
Но разве это может быть,
Чтоб он забыл меня?

Но вот и подтвердился
Тревожный, странный сон:
Мой милый возвратился
С красавицей женой.

Увидел мои слезы,
Глаза он опустил:
Наверно, знало сердце,
Что счастье он разбил.

* * *

Падают листья средь шумного сада,
Ветер стучится и плачет в окно.
Ветер, не плачь, милый ветер, не надо:
Кончено все между нами давно.

Все же опавшим березам и кленам —
Им только зиму одну переждать:
Снова вернутся к ним листья зеленые.
Ты же ко мне не вернешься опять.

Падают листья средь шумного сада,
Ветер стучится и плачет в окно.
Ветер, не плачь, глупый ветер, не надо:
Кончено все между нами давно.

Я ВСТРЕТИЛ РОЗУ

Я встретил розу. Она цвела,
Вся дивной прелести полна была.
Цветок прелестный ласкал мой взгляд.
Какой чудесный, нежный аромат!

Я только розу сорвать хотел,
Но передумал и не посмел.
О роза, роза! Любовь моя!
Шипов колючих боялся я.

И вот однажды я в сад вхожу,
И что, друзья, там я нахожу:
Сорвали розу, измяли цвет,
Шипов колючих уж больше нет.

«О роза, роза! — я закричал, —
Зачем, о роза, тебя не рвал?»
Шипов колючих боялся я.
Теперь навеки я без тебя.

НЕ ГУБИТЕ МОЛОДОСТЬ, РЕБЯТУШКИ

Не губите молодость, ребятушки,
Не влюбляйтесь, хлопцы, с ранних лет,
Слушайтесь советов родных матушек,
Не теряйте свой авторитет.

Я себя истратил, не жалеючи.
Очень рано девку полюбил.
А теперь я плачу, сожалеючи.
Для меня и белый свет не мил.

Это было осенью глубокою.
С неба дождик тихо моросил.
Шел без шапки пьяною походкою,
Горько плакал и о ней грустил.

Вдруг навстречу пара показалася.
Не поверил я своим глазам:
Шла она к другому прижималася,
И уста тянулися к устам.

Вмиг покинул хмель мою головушку.
Из кармана вытащил наган
И всадил семь пуль в свою зазнобушку,
А в ответ услышал: «Хулиган!»

Не губите молодость, ребятушки,
Не влюбляйтесь, хлопцы, с ранних лет,
Слушайтесь советов родных матушек,
Не теряйте свой авторитет.

* * *

Новый год. Порядки новые.
Колючей проволокой концлагерь окружен.
Со всех сторон глядят глаза суровые,
И смерть голодная глядит со всех сторон.

Ниночка, моя блондиночка,
Родная девочка, ты вспомни обо мне,
Моя любимая, незаменимая,
Подруга юности, товарищ на войне.

Милая, с чего унылая,
С чего с презрением ты смотришь на меня?
Не забывай меня, я так люблю тебя,
Но нас с тобою разлучают лагеря.

Помнишь ли, зимой суровою,
Когда зажглись на елке тысячи огней,
Лилось шампанское рекой веселою
И ты под елкой пела, словно соловей?

В мыслях пью вино шипучее
За губки алые, чтоб легче было жить,
Чтоб жизнь в концлагере казалась лучшею
И за шампанским удалось все позабыть.

* * *

Я милого узнаю по походке:
Он ходит в беленьких штанах,
А шляпу носит он панаму,
Ботиночки он носит на рыпах.

Ты скоро меня, миленький, разлюбишь,
Уедешь в дальние края.
Ко мне ты больше не вернешься —
Зачем мне фотокарточка твоя?

Сухою бы я корочкой питалась,
Сыру б водицу я пила,
Тобой бы, ненаглядный, любовалась —
И этим бы я счастлива была.

Сними же ты мне комнатку сырую,
Чтоб в ней могла я только жить...
Найди ты себе милую другую,
Чтоб так могла, как я, тебя любить!

Я милого узнаю по походке:
Он ходит в беленьких штанах,
А шляпу носит он панаму,
Ботиночки он носит на рыпах.

* * *

И вот опять сегодня не пришла.
А я так ждал, надеялся и верил,
Что зазвонят опять колокола
И ты войдешь в распахнутые двери.

Перчатки снимешь около дверей
И бросишь их на подоконник.
«О, как замерзла, — скажешь, — отогрей!» —
И мне протянешь зябкие ладони.

А я возьму твой каждый ноготок
И поцелую, сердцем согревая,
О, если б ты пришла хоть на часок!
Но в парк ушли последние трамваи.

И вот опять сегодня не пришла.
А я так ждал, надеялся и верил,
Что зазвонят опять колокола
И ты войдешь в распахнутые двери.

БЕЛЫЕ ТУФЕЛЬКИ

На улице дождь и слякоть бульварная,
Ветер пронзительный душу гнетет.
В беленьких туфельках девочка бедная,
Словно шальная, по лужам бредет.

Белые туфельки были ей куплены
Прихоти ради богатым купцом.
В них она вечером стройными ножками
В вальсе кружилась по залу кольцом.

Ты полюбила его, бессердечного.
Он же вовек никого не любил.
Ты отдалась так по-детски доверчиво.
Он через месяц тебя позабыл.

Ночью на улице сыро и холодно.
Выпить успела ты чашу до дна.
Вызвали доктора, тихо он вымолвил:
«К жизни вернуться не сможет она».

И вот ты лежишь, и чужая, и бледная,
Даже лекарства не примешь сейчас.
Белые туфельки. Платьице белое.
Личико белое, словно атлас.

Радуйся, девочка, радуйся, милая,
Радуйся смерти, что рано пришла.
Жизнь твою отняла слякоть бульварная.
Вся твоя жизнь в белых туфлях прошла.

А Я НАШЕЛ ДРУГУЮ

Губки твои — как вишни,
Щечки — алее розы,
Взгляд мое сердце ранил
И до сих пор тревожит.

Припев
А я нашел другую —
Хоть не люблю, но целую,
Когда ее обнимаю,
Сразу тебя вспоминаю.

Письма мои читаешь —
И надо мной хохочешь...
Ждать ты меня не стала.
Ну так гуляй с кем хочешь!

Припев

Скоро ты замуж выйдешь.
Меня ты позабудешь.
Ласково приголубишь
Того, кого полюбишь.

Припев

Скоро я буду дома.
Скоро я буду пьяный.
Но залечу не скоро
Сердца больную рану.

Припев
А я нашел другую,
Хоть не люблю, но целую.
Когда ее обнимаю,
Одну лишь тебя вспоминаю.

* * *

Ты плачь, гитара моя,
Сердцу больно в груди,
Грущу по дому я,
Родная, жди.
Зачем разлука пришла
Туда, где радость была,
Разбила сердце мое
Весенним днем?

Я помню глаз синеву
И голос родной.
Под старым кленом в саду
Сидел с тобой.
Плыла по небу луна,
От счастья пела струна.
Коснулся локон кудрей
Щеки моей.

Тебя я нежно обнял,
К груди прижал
И в губы алые
Поцеловал.
При свете радужных звезд
Я видел капельки слез.
«Не тронь цветочек любви», —
Молила ты.

Я с нежных ножек твоих
Сорвал капрон
И, задыхаясь, к груди
Прижал бутон.
Легла под кленами ты,
Спиной примяла цветы,
В объятьях жаркой любви
Минуты шли.

Я полюбил тебя
Тогда сполна,
Но круто бросила
Меня судьба.
Остались только мечты,
Тот майский вечер и ты.
Нас разлучил с тобой
Военный строй.

СОФИЯ ПАВЛОВНА

Познакомился я с Софой раннею весной.
А когда она сбежала — потерял покой,
Софа — ангел, Софа — душка,
Софа мягче, чем подушка,
Хоть ложись и сразу помирай.

Припев
Софочка, София Павловна,
София Павловна — на целый свет одна.
Софа, я не стану лгать:
Готов полжизни я отдать,
Только чтоб тобою обладать!

А как стала эта Софа летом загорать,
Повернулась кверху жопой — солнца не видать.
А потом легла на спину
И кричит: «Давай мужчину!» —
Вот такая Софочка была!

Припев

А как Софа заболела и в постель слегла,
Пять врачей ее лечили и одна сестра.
Долго думали-гадали,
Сто рецептов прописали...
Только процедура помогла.

Припев
Софочка, София Павловна,
София Павловна — на целый свет одна.
Софа, я не стану лгать:
Готов полжизни я отдать,
Только чтоб тобою обладать!

* * *

Над рекой туман молоком парным...
Затерялись все тропки детские.
Я по тропкам тем, по лугам заливным
К речке бегал с девчонкой соседскою.

Припев
Ой, луга, луга,
Росы чистые —
На траве огоньки, на траве огоньки
Серебристые.

В той реке с тобой я купал коня
И тебя не считал девчонкою.
Озорней других, босоножка моя,
Ты казалась тогда мне мальчонкою.

Припев

Он пришел, чужой, по тропинке той,
Только бровью повел уверенно,
И мальчонки нет — заалелась ты,
Улыбнулась по-женски растерянно.

Припев
Ой, луга, луга,
Росы чистые —
На траве огоньки, на траве огоньки
Серебристые.

* * *

Если придется когда-нибудь
Мне в океане тонуть,
Я на твою фотографию
Не позабуду взглянуть.

Руки, сведенные холодом,
Жадно к тебе протяну.
И, навсегда успокоенный,
Камнем отправлюсь ко дну.

Там глубина необъятная,
Целая миля до дна.
Стану глядеть я, как по небу
Пьяная бродит луна.

Буду лежать я на дне морском,
В груде холодных камней.
Вот что такое романтика
В жизни бродячей моей.

Все потеряю на дне морском:
Грусть, и мечту, и покой...
Даже твою фотографию
Вырвет акула с рукой.

Если придется когда-нибудь
Мне в океане тонуть,
Я на твою фотографию
Не позабуду взглянуть.

* * *

Вечер догорает над Невою,
Тихо в Ленинграде в этот час.
Я хочу, чтоб ты была со мною,
Но тебя со мною нет сейчас.

Припев
Тихий вечер, теплый вечер...
Я такие вечера люблю.
В этот тихий, теплый вечер
Для тебя, любимая, пою.

Ты подуй в лицо мне, теплый ветер,
Волосы развей, сильнее дуй,
Ты напомнил ласковые встречи,
Первый настоящий поцелуй.

Припев

Карточку твою бесценной ношей
Я ношу в кармане с того дня.
До чего же ты была хорошей!
Горяча к тебе любовь моя.

Припев
Тихий вечер, теплый вечер...
Я такие вечера люблю.
В этот тихий, теплый вечер
Для тебя, любимая, пою.

ЧЕРНЫЕ ГЛАЗА

Был день осенний,
И листья грустно опадали,
В усталых астрах
Печаль хрустальная жила.
Грусти тогда с тобою мы не знали,
Ведь мы любили —
И для нас цвела весна.

Ах, эти черные глаза
Меня погубят,
Их позабыть никак нельзя —
Они горят передо мной.
Ах, эти черные глаза!
Кто их полюбит,
Тот потеряет навсегда
И счастье, и покой.

Был день весенний,
Все, расцветая, ликовало,
Сирень синела,
Будя уснувшие мечты.
Слезы я бесконечно проливала —
Я так любила,
Но со мной прощался ты.

Ах, эти черные глаза
Меня погубят,
Их позабыть никак нельзя —
Они горят передо мной.
Ах, эти черные глаза!
Кто их полюбит,
Тот потеряет навсегда
И счастье, и покой.

* * *

Шумел камыш, деревья гнулись,
А ночка темная была.
Одна возлюбленная пара
Всю ночь гуляла до утра.

А поутру они расстались.
Кругом помятая трава.
То не трава была помята —
Измята девичья краса.

Пришла домой, а там спросили:
«Где ты гуляла, где была?»
Она в ответ: «В саду гуляла,
Домой тропинки не нашла».

Он говорил: «Ругаться будут —
Ты приходи опять сюда».
Она пришла — его там нету,
Уже не будет никогда.

Она платок к лицу прижала
И горько плакать начала:
«Кому ж краса моя досталась?
Кому ж я счастье отдала?..»

Шумел камыш, деревья гнулись,
А ночка темная была.
Одна возлюбленная пара
Всю ночь гуляла до утра.

СИНИЙ ПЛАТОЧЕК

Синенький скромный платочек
Был на плечах дорогих.
Ты говорила, что полюбила
И не взглянешь на других.
Мы той весной
В роще бродили с тобой.
Мелькал между кочек синий платочек,
Милый, желанный, родной.

Синенький скромный платочек
Падал с опущенных плеч,
Как провожала и обещала
Синий платочек сберечь.
И пусть со мной
Нет сегодня любимой, родной,
Знаю — с любовью у изголовья
Прячешь платок дорогой.

Письма твои получаю —
Слышу твой голос живой,
И между строчек синий платочек
Снова встает предо мной.
И в час такой
Всюду со мной облик твой.
Чувствую — рядом, с любящим взглядом,
Ты постоянно со мной.

Кончится время лихое.
С радостной вестью приду.
Знаю — к порогу снова дорогу
Я без ошибки найду.
И вновь весной
Рядом с зеленой сосной
Мелькнет между кочек синий платочек,
Милый, желанный, родной.

* * *

Жил один скрипач —
Молод и горяч,
Пылкий и порывистый, как ветер.
Горячо любя,
Отдал он себя
Той, которой краше нет на свете.

Раз в одном саду
Девушку одну
Увлекал он пляскою и пеньем.
Не сводил он с ней
Пламенных очей
И смотрел с каким-то изумленьем.

Плачь, скрипка моя, плачь!
Расскажи ты ей, как я тоскую.
Расскажи ты ей о любви моей,
Что не в силах я любить другую.

Но пришел другой
С золотой сумой;
Разве можно спорить с богачами?
И она ушла,
Счастье унесла,
Только скрипка плакала ночами.

Плачь, скрипка моя, плачь!
Видишь, солнце весело смеется,
Расскажи ты ей о любви моей,
Может быть, она еще вернется.

Денег — ни гроша,
Но поет душа,
Создавая нежный голос скрипки.

В восемнадцать лет
Счастья в жизни нет —
Счастье все ушло с ее улыбкой.

Плачь, скрипка моя, плачь!
Расскажи о том, как я тоскую.
Расскажи ты ей о любви моей,
Что не в силах я любить другую.

Вот пришла весна,
Он сошел с ума —
По ночам он пел с больной улыбкой.
По ночам он пел
И в окно глядел,
И ему казалось, пела скрипка.

Пой, скрипка моя, пой!
Видишь, солнце весело смеется.
Расскажи ты ей о любви моей,
Может быть, она еще вернется.

* * *

Я недавно с тобой повстречался
И увлекся твоей красотой,
А сам смертною клятвой поклялся:
Неразлучны мы будем с тобой.

Я, как коршун, по свету скитался,
Для тебя все добычу искал.
Воровал, грабежом занимался,
А теперь за решетку попал.

Злые люди рассказывать станут.
Поседеет моя голова.
Куда делся мой прежний румянец?
Куда делась моя красота?

Скоро в церкви тебя обвенчают,
А меня на погост понесут.
Тебе музыка вальс заиграет,
А мне «Вечную память» споют.

СЕРОГЛАЗЫЙ

Ночами лунными с гитарой семиструнною
Глазами серыми пленил ты сердце мне.
Когда впервые шла к тебе я ночкой лунною,
Сирень шептала мне о ласке и весне.

Гитара плакала, а мы с тобой смеялися.
Нам было весело в ту ночь, как никогда.
Я лишь тобой, мой сероглазый, любовалася,
И я не знала, что разлюбишь навсегда.

Не ожидала до последнего мгновения,
Что радость прежнюю придется позабыть,
Что на любовь мою ответишь ты презрением,
Захочешь сердце мое бедное сгубить.

Лишь об одном тебя прошу я, как безумная:
Ты уезжай скорее в дальние края,
Чтоб глазки серые, гитара семиструнная
Ночами лунными не мучали меня.

ЧУЖАЯ МИЛАЯ

Здравствуй, чужая милая,
Та, что была моей!
Как бы тебя любил бы я
До самых последних дней!

Припев
Прошлое не воротится,
И не поможет слеза.
Как целовать мне хочется
Эти твои глаза!

Много бродил по свету я,
Много прошел дорог.
Только тебя, любимая,
В сердце сберечь не смог.

Припев

Если б всю жизнь постылую
Снова прожить я мог,
Только б тебя, любимую,
В сердце своем берег.

Припев
Прошлое не воротится,
И не поможет слеза.
Как целовать мне хочется
Дочки твоей глаза!

* * *

У меня под окном расцветает сирень,
Расцветает сирень голубая.
А на сердце моем пробудилась любовь,
Пробудилась любовь молодая.

Отчего я вчера не дождалась тебя?
Оттого, что нашлася другая.
А другая твоя чем же лучше меня,
Разве тем, что косу распускает?

Так иди же ты к ней, к той красотке своей,
Наслаждайся ее красотою!
Про меня позабудь, позабудь навсегда.
Позабуду и я, но не скоро.

* * *

Что ты смотришь на меня в упор?
Я твоих не испугаюсь глаз!
Так давай закончим разговор,
Оборвав его в последний раз.

Припев
Ну что же? Брось, бросай! Жалеть не стану.
Я таких, как ты, мильон достану.
Ты же поздно или рано
Все равно ко мне придешь.

Кто тебя по переулкам ждал,
От ночного холода дрожа?
Кто тебя по кабакам спасал
От удара финского ножа?

Припев

Провожу тебя я на крыльцо,
Как у нас с тобою повелось.
На, возьми назад свое кольцо,
А мое хоть под забором брось.

Припев

Если тебе трудно будет на пути,
Знай, что хулиган тебя любил.
Если тебе очень будет не везти,
Знай, что он тебе не изменил.

Припев

Ты ушла сейчас в ночной туман,
Опустив насмешливо глаза.

Что ж? На том закончим наш роман...
А в глазах все та же бирюза!

Припев
Ну что же? Брось, бросай! Жалеть не стану.
Я таких, как ты, мильон достану.
Ты же поздно или рано
Все равно ко мне придешь.

* * *

Соловушка где-то в саду,
Где-то в душистой сирени
Песню поет о любви,
Клянется любить без измены.

Однажды вечерней порой
Я перед ней провинился.
Она торопливо ушла,
А я не успел извиниться.

Я ли тебя не любил?
Я ли тобой не гордился?
Следы твоих ног целовал,
Чуть на тебя не молился.

Жалости нет у тебя,
Сердца в груди не имеешь.
Ты не достойна любви,
Если прощать не умеешь.

Соловушка где-то в саду,
Где-то в душистой сирени
Песню поет о любви,
Клянется любить без измены.

ЖЕНУШКА-ЖЕНА

Много в мире слов — не перечесть,
Но одно знакомое такое:
Женушка — такое слово есть,
Слово бесконечно дорогое.

Припев
Но я хочу сказать, что в сердце — передать:
Верная подруга моей жизни,
Женушка-жена, женуленька моя,
Нет тебя дороже мне и ближе.

Старость неподвластная твоя
Красоты твоей не пожалеет.
Женушка, женуленька моя,
Постепенно облик твой стареет.

Припев

Мраморный твой лоб приобретет
Ряд морщинок, нажитых со мною.
Понемногу жизнь свое возьмет
И виски покроет сединою.

Припев

И куда б ни бросила судьба,
Всюду ты со мною, друг, родная.
Женушка, женуленька, жена —
Верная подруга, дорогая.

Припев
Но я хочу сказать, что в сердце — передать:
Верная подруга моей жизни,
Женушка-жена, женуленька моя,
Нет тебя дороже мне и ближе.

* * *

Ой-ой-ой! я, несчастная девчоночка,
Ой-ой-ой! замуж вышла без любви,
Ой-ой-ой! завела себе миленочка,
Ой-ой-ой! грозный муж меня бранит.

Ох, да зачем любила я?
Зачем стала целовать?
Хошь — режь меня,
Хошь — ешь меня —
Уйду к нему опять.

Ой-ой-ой! он замки на дверь накладывал,
Ой-ой-ой! он наряды мои рвал,
Ой-ой-ой! я нагая с окон падала,
Ой-ой-ой! меня милый подбирал.

Ох, да зачем любила я?
Зачем стала целовать?
Хошь — режь меня,
Хошь — ешь меня —
Уйду к нему опять.

МИЛАЯ, ЛЮБИМАЯ, ДАЛЕКАЯ

Звезды загораются хрустальные,
Под ногами чуть скрипит снежок.
Вспоминаю я сторонку дальнюю
И тебя, хороший мой дружок.
По тебе тоскую, синеокая,
Всюду нежный облик твой храня.
Милая, любимая, далекая,
Вспоминай и ты меня.

На лицо снежинки опускаются.
На ресницах тают, как слеза.
Сквозь пургу мне мило улыбаются
Девичьи любимые глаза.
А солдата ветры бьют жестокие.
Ничего — он ветру только рад.
Милая, любимая, далекая,
Должен все снести солдат.

Нас судьба с тобой одним обидела:
Далеко ты от меня живешь.
Мы с тобой давно уже не виделись,
Долго не встречались — ну и что ж!
Ведь любовь не меряется сроками,
Если чувством связаны сердца.
Милая, любимая, далекая,
Верная мне до конца.

* * *

Пускай проходит счастье стороною —
Я счастлив буду только лишь с тобой.
Пусть грозы пронесутся надо мною
И годы, что ушли в туман седой.

Никто тебя не любит так, как я,
Никто не приголубит так, как я,
Никто не поцелует так, как я,
Любимая, хорошая моя.

Припев
Где же ты, моя любовь?
Для кого твои глазки горят?
Для кого твое сердце стучит?
С кем ты делишь печаль?

Ну что же ты грустишь, что нынче осень,
Что листья золотые на земле?
Ну что же ты грустишь, что нынче в восемь
Я не приду, любимая, к тебе?

И вот стою в вагоне у окна.
Вокруг меня чужая сторона.
И вспомнил я тогда твои глаза,
Твои глаза, любимая моя.

Припев
Где же ты, моя любовь?
Для кого твои глазки горят?
Для кого твое сердце стучит?
С кем ты делишь печаль?

* * *

Отчего ты не пришел,
Когда я велела?
До двенадцати часов
Лампочка горела.
Раньше, милый, дорогой,
Ты ко мне являлся!
Или ты ушел к другой,
Или ты зазнался?

На углу наискосок
Парочка стояла...
Отчего ты не пришел,
Когда я сказала?
До двенадцати часов
Лампочка не гасла.
Отчего ты не пришел,
Когда я согласна?

Отчего ты не пришел,
Когда я велела?
До двенадцати часов
Лампочка горела.
«Оттого я не пришел,
Когда ты велела,
Что штанишки не нашел,
А ты не надела».

* * *

На всей деревне нет красивше парня
Из всех женатых наших мужиков!
Люблю я Машку — ох она каналья! —
Люблю ее, и больше никого.

Ох, что ж ты врешь, ты, окаянный малый,
Аль не тебя я видела вчерась?
Как ты с Марфушкой нашей целовался,
А на меня глядел отворотясь.

Давайте, девки, соберемся в кучку,
Его осудим мы судом своим
И зададим ему такую взбучку,
Чтобы голов он наших не мутил.

На всей деревне нет красивше парня
Из всех женатых наших мужиков!
Люблю я Машку — ох она каналья! —
Люблю ее, и больше никого.

* * *

Угли камина горят, как рубины,
Переливаясь огнем голубым.
Из молодого, веселого, юного
Стал я угрюмым, седым и больным.

Жизнь пронеслась среди шумных развражин,
Жизнь пронеслась среди шумных пиров.
Только под старость злодейкой подкралась
К сердцу больному шальная любовь.

Что же мне делать, коль юность утрачена?
Что же мне делать, куда мне пойти?
Нет, не пойду я с тобой, сероглазая,
По одному и тому же пути!

Время настанет — ты встретишь товарища,
Крепче полюбишь, чем любишь меня.
Но не унять в моем сердце пожарища
И не залить горькой водкой огня!

ЕЕ ЛЮБОВЬ ПОГУБИЛА

* * *

Этот случай давно был когда-то
В Ленинграде суровой зимой.
Капитан после грозных сражений
Письмо пишет жене дорогой.

«Дорогая жена, я — калека.
У меня нету правой руки.
Нет и ног. Они верно служили
Для защиты родимой страны.

Я берег твой покой, дорогая,
И хотел, чтобы дочка моя
Обо мне никогда не грустила
И по-детски ласкала меня».

Получил он письмо от супруги.
С ней прожил он уже много лет.
Но жена отвечает сурово,
Что не нужен калека и ей.

«Мне минул лишь тридцатый годочек.
Я хочу еще жить и гулять.
Ты приедешь ко мне как колчушка,
Только будешь в кровати лежать».

А внизу там заметь каракульки.
Виден почерк, но почерк не тот.
Это почерк любимой дочурки:
Домой папочку дочка зовет.

«Милый папа, не слушай ты маму,
Приезжай поскорее домой.
Этой встрече я буду так рада,
Буду знать, что мой папа живой.

Я в коляске катать тебя буду
И цветы для тебя буду рвать.
В душной комнате весь ты вспотеешь,
А я буду тебя прохлаждать».

Вот уж поезд к вокзалу подходит,
Потихоньку по рельсам скользит.
А в том поезде радость и горе —
Капитан молодой там сидит.

Капитан из вагона выходит,
По перрону нетвердо идет.
И глазам он поверить не может:
Это дочка его или нет?

«Папа, папа! Как это случилось?! —
Руки целы и ноги целы!
Орден яркий со знаменем красным
Расположен на левой груди».

«Постой, дочка, постой, дорогая!
Видно, мать не пришла и встречать.
Она стала совсем нам чужая,
Так не будем о ней вспоминать!»

Этот случай давно был когда-то
В Ленинграде суровой зимой.
Капитан после грозных сражений
Возвратился здоровым домой.

* * *

Они любили друг друга крепко,
Хотя и были еще детьми.
И часто-часто они мечтали:
Век не разлюбим друг друга мы.

В семнадцать лет, еще мальчишкой,
В пилоты он служить ушел.
В машине быстрой с звездой на крыльях
Утеху он себе нашел.

Писал он часто: «Скоро приеду,
А как приеду, так обниму».
«Я буду ждать, что б ни случилось» —
Так отвечала она ему.

Но вот однажды порой ненастной
Письмо приходит издалека,
Со злобной шуткой друзья писали,
Что уж не любит тебя она.

«Ну что ж? Не любит — так и не надо!
За что же я ее люблю?!
И что мне стоит, пилоту, сделать
С улыбкой мертвую петлю».

Ну что ж? Не любит — так и не надо!
И для петли он руль нажал.
На высоте трех тысяч метров
Пропеллер яростно жужжал.

Вот самолет за дальним лесом
На полной скорости упал.
Пилот в крови весь, с измятой грудью
Губами бледными шептал:

«Так, значит, амба. Так, значит, крышка.
Любви моей последний час.
Тебя любил я еще мальчишкой.
Еще сильнее люблю сейчас».

А в этот вечер она мечтала,
Что вот вернется любимый мой...
А через час она узнала:
Погиб пилот ее родной.

«Ну что ж? Погиб он, и я погибну», —
Решила девушка тогда.
И в тот же вечер в речные волны
С обрыва бросилась она.

* * *

Ах, васильки, васильки,
Сколько мелькало их в поле!..
Помню, у самой реки
Мы собирали их Оле.

Знала она рыбаков,
Этой реки не боялась.
Часто с букетом цветов
С милым на лодке каталась.

Он ее за руки брал,
В глазки смотрел голубые
И без конца целовал
Бледные щечки, худые.

Оля приметит цветок,
К речке головку наклонит:
«Милый, смотри: василек
Твой поплывет, мой — утонет».

Так же, как в прежние дни,
Он предложил ей кататься:
К речке они подошли —
В лодку помог ей забраться.

«Оля играет тобой, —
Так мне друзья сообщали. —
Есть у ней милый другой,
Карты цыганки сказали».

Милый тут вынул кинжал,
Низко над Олей склонился.
Оля закрыла глаза,
Труп ее в воду свалился.

Тело нашли рыбаки —
Вниз по реке оно плыло.
Надпись была на груди:
«Олю любовь погубила».

Ах, рыбаки, рыбаки,
Тайну зачем вы открыли?
Лучше б по волнам реки
Труп ее в море пустили.

* * *

Шутки морские порою бывают жестоки...
Жил-был рыбак с черноокою дочкой своей.
Дочка угроз от отца никогда не слыхала —
Крепко любил ее старый рыбак Тимофей.

Выросла дочка на славу — стройна и красива.
Волны ласкали ее, как родное дитя.
Пела, смеялась, резвилась, как чайка над морем,
Только она далеко от судьбы не ушла.

Как-то зашли к рыбаку за водою напиться
Четверо юных, средь них был красавец один —
Смуглый красавец со злою и дерзкой улыбкой,
Пальцы в перстнях, словно был он купеческий сын.

Смуглый красавец последним из кружки напился.
Кружку взяла и остаток воды допила.
Так и пошло: полюбили друг друга у моря
Чудный красавец и юная дочь рыбака.

Часто они уплывали в открытое море,
Море им пело волшебные песни свои,
Волны и ветер их буйную страсть охлаждали,
Скалы морские служили приютом любви.

Старый рыбак поседел от тоски и печали.
«Дочка, опомнись, твой милый — бродяга и вор, —
Так ей сказал, — берегись, берегись, Катерина, —
Лучше убью, но не выдам тебя на позор!»

Девушка петь и смеяться совсем перестала,
Пала на личико светлое хмурая тень,
Пальцы и губы она себе в кровь искусала,
Словно шальная ходила она в этот день.

Как-то отец возвратился из города поздно.
«Вот и конец, — он сказал, — молодцу твоему.
В краже поймали. Пойди посмотри, коли любишь.
Там и убили. Туда и дорога ему».

Девушка Катя, накинув платок, убежала.
Город был близко, и возле кафе одного
Толпы народа... Она их с трудом растолкала,
Бросилась к трупу, лаская, целуя его.

Чудный красавец лежал там уже бездыханный,
Словно заранее чувствовал смертный свой час,
Руки скрестивши, как крылья подстреленной птицы,
Злая улыбка скользила на нежных устах.

Девушка встала, и, бросив проклятья народу,
Не дожидаясь той новой, печальной зари,
Белое платье надела, и, словно невеста,
Бросилась в море с ближайшей высокой скалы.

Шутки морские порою бывают жестоки...
Жил-был рыбак с черноокою дочкой своей.
Дочка угроз от отца никогда не слыхала —
Крепко любил ее старый рыбак Тимофей.

* * *

Гудки тревожно загудели,
Народ валит густой толпой.
А молодого коногона
Несут с разбитой головой.

— Зачем ты, парень, торопился,
Зачем коня так быстро гнал?
Или десятника боялся,
Или в контору задолжал?

— Десятника я не боялся,
В контору я не задолжал.
Меня товарищи просили,
Чтоб я коня быстрее гнал.

Ох, шахта, шахта, ты — могила.
Зачем сгубила ты меня?
Прощайте, все мои родные, —
Вас не увижу больше я.

В углу заплачет мать-старушка.
Слезу рукой смахнет отец.
И дорогая не узнает,
Каков мальчишки был конец.

Прощай, Маруся ламповая,
Ты мой товарищ стволовой.
Тебя я больше не увижу —
Лежу с разбитой головой.

Гудки тревожно загудели,
Народ валит густой толпой.
А молодого коногона
Несут с разбитой головой.

ДОЧЬ ПРОКУРОРА

Там, в дому прокурора,
Безотрадно и тихо
Жила дочка-красотка,
Звали Нина ее:
С голубыми глазами
И чудесной походкой,
Как весенняя песня,
Спетая соловьем.

Было ей восемнадцать.
Никому не доступна.
И с каким-то презреньем
Все глядит на людей.
И ни ласковых взоров,
И ни нежных укоров
Не подарит народу
Из-под строгих бровей.

Но однажды в субботу
На балу в старом парке
К ней шикарно одетый
Подошел паренек —
Неприступный красавец
Из преступного мира,
Молча ей поклонился
И на танец увлек.

Танцевали обнявшись,
А потом средь березок
Поцелуями жаркими
Они тешились всласть.
И тут гордая Нина,
Эта дочь прокурора,
Отдалась безраздельно
В его полную власть.

Сколько было там страсти,
Сколько было там ласки!
Воровская любовь
Коротка, но сильна.
Ничего он не хочет,
Ничего не желает,
Только ласки красотки,
Только море вина.

Но судьба воровская,
Как волною, бросает —
То этап, то свобода,
То опять лагеря.
И однажды во вторник
На одном на вокзале
Завалил он на деле
И ее и себя.

На скамье подсудимых
Сидят молча, обнявшись.
Прокурор поседевший
Пьет уж пятый стакан.
И ослепший от горя
Видит он на скамье лишь:
Рядом с дочкой любимой —
Молодой уркаган.

КАРАВАН ДЖАФАР-АЛИ

Мерно шагая в пути,
Окутан вечерней мглой,
Караван Джафар-Али
В край свой идет родной.

Там по сыпучим пескам,
Где бродит один джейран,
Через границу идет
Контрабандный караван.

Шелк он везет и хну
Из знойной страны Пакистан,
В тюках везет он с собой
Лучший кашгарский план.

Сам караванщик сидит
С длинною трубкой в зубах,
Тонкие ноги скрестив,
Качается на горбах.

Богатствам его нет числа.
Богаче он был паши.
Но погубил его план
И тридцать три жены.

Давно уж потухли глаза.
Не радует солнца восход.
И лишь на расшитый халат
Скупо слеза течет.

Не долго качаться ему
На мягких верблюжьих горбах —
Его похоронят рабы
В знойных сыпучих песках.

Пересекая пески,
Мерно шагая в пыли,
Из Пакистана идет
Караван Джафар-Али.

* * *

Помню, в начале второй пятилетки
Стали давать паспорта.
Мне не хватило рабочей отметки,
И отказали тогда.

Что же мне делать со счастием бедным?
Надо опять воровать.
Вот и решил я с товарищем верным
Банк городской обобрать.

Помню ту ночь в Ленинграде глубокую,
В санях неслись мы втроем.
Лишь по углам фонари одинокие
Тусклым мерцали огнем.

В санях у нас под медвежьею полостью
Желтый лежал чемодан.
Каждый из нас, отрешившихся полностью,
Верный нащупал наган.

Вот мы к высокому зданью подъехали,
Встали и быстро пошли.
Сани с извозчиком тут же отъехали.
Снег заметал их следы.

Двое зашли в подворотню заветную,
Стали замки отпирать.
Третий остался на улице ветреной,
Чтобы на стреме стоять.

Вскоре вошли в помещенье знакомое.
Стулья, диваны, шкафы.
Денежный ящик с печальной истомою
Молча смотрел с высоты.

Сверла английские — быстрые бестии,
Словно два шмеля в руках,
Вмиг просверлили четыре отверстия
В сердце стального замка.

Дверца открылась, как крышка у дачки.
Я не сводил с нее глаз.
Деньги советские ровными пачками
С полок глядели на нас.

Помню, досталась мне сумма немалая —
Ровно сто тысяч рублей.
Мы поклялись не замедлить с отвалкою —
Скрыться как можно скорей.

Вот от вокзала с красивым букетом
В сером английском пальто
Город в семь тридцать покинул с приветом,
Даже не глянул в окно.

Только очнулся на станции крохотной
С южным названьем под стать.
Город хороший, город пригожий —
Здесь я решил отдыхать.

Здесь на концерте мы с ней познакомились.
Стали кутить и гулять.
Деньги мои все, к несчастию, кончились —
Надо опять воровать.

Деньги мои словно снег все растаяли.
Надо вернуться назад,
Чтоб с головой снова браться за старое, —
В хмурый и злой Ленинград.

К зданью подъехали без опасения,
Только совсем не к тому.
Шли в этом доме давно ограбления.
Знало о том ГПУ.

Выстрел раздался без предупреждения,
Раненный в грудь, я упал.
Так на последнем своем ограблении
Счастье вора потерял.

Если раскрыть «Ленинградскую правду»,
Там на последнем листе
Все преступления по Ленинграду
И приговоры там все.

Жизнь развеселая, жизнь поломатая,
Кончилась ты под замком.
Вот уже старость — старуха горбатая —
Бродит с клюкой под окном.

* * *

Жил один студент на факультете.
О карьере собственной мечтал,
О деньгах приличных, о жене столичной,
Но в аспирантуру не попал.

Если ж не попал в аспирантуру,
Собирай свой тощий чемодан.
Обними папашу, поцелуй мамашу
И бери билет на Магадан.

Путь до Магадана недалекий,
За полгода поезд довезет.
Там сруби хибару, и купи гитару,
И начни подсчитывать доход.

Быстро пролетят разлуки годы.
Молодость останется в снегах.
Инженером видным с багажом солидным
Ты в Москву вернешься при деньгах.

И тебя не встретят, как бывало,
И никто не выйдет на вокзал:
С лейтенантом юным с полпути сбежала,
Он уже, наверно, генерал.

И возьмешь такси до ресторана.
Будешь водку пить и шпроты жрать.
И уже к полночи пьяным будешь очень
И студентов станешь угощать.

Будешь плакать пьяными слезами
И стихи Есенина читать,
Вспоминать девчонку с черными глазами,
Что могла женой твоею стать.

Жил один студент на факультете.
О карьере собственной мечтал,
О деньгах приличных, о жене столичной,
Но в аспирантуру не попал.

* * *

Среди бушующей толпы
Судили парня молодого.
Он был красивый сам собой,
Но он наделал много злого.

Он попросился говорить,
И судьи слово ему дали.
И речь его была полна
Тоски, и горя, и печали.

«Когда мне было десять лет,
Я от родной семьи сорвался,
Я глупым был — не понимал,
Что со шпаной тогда связался.

Когда мне было двадцать лет,
Я был среди друзей «хороших»,
Я научился убивать
И зашибал немало грошей.

Однажды мы пришли в село,
Где люди тихо-мирно спали,
Мы стали грабить один дом,
Но света в нем не зажигали.

Когда ж окончился грабеж
И все друзья уж уходили,
Я на минуту свет зажег,
И что я, люди, там увидел!

Передо мной стояла мать,
В груди с кинжалом умирая,
А на полу лежал отец,
Рукой зарезан атамана.

А шестилетняя сестра —
Она в кроватке умирала
И, словно рыбка без воды,
Свой нежный ротик раскрывала».

Когда он кончил говорить,
Все стали плакать в этом зале,
Всем было парня очень жаль,
Но судьи приговор читали:

«Ты нам всю правду рассказал,
Но мы ничем здесь не поможем —
За злодеяния твои
Мы жизнь спасти тебе не можем».

Среди бушующей толпы
Вели к расстрелу молодого.
Он был красивый сам собой,
Но сделал в жизни много злого.

СУДИЛИ ДЕВУШКУ ОДНУ

Друзья, я песню вам спою,
Своими видел я глазами:
Судили девушку одну,
Она дитя была годами.

Она просилась говорить,
И судьи ей не отказали.
Когда ж закончила она,
Весь зал наполнился слезами.

«В каком-то непонятном сне
Он овладел коварно мною,
И тихо вкралась в душу мне
Любовь коварною змеею.

И долго я боролась с ней,
Но чувств своих не победила,
Ушла от матери родной...
О судьи, я его любила!

Но он другую полюбил,
Стал насмехаться надо мною.
Меня открыто презирал,
Не дорожил, коварный, мною.

Однажды он меня прогнал...
Я отомстить ему решила:
Вонзила в грудь ему кинжал.
О судьи, я его убила!

Прощай, мой мальчик дорогой,
Тебя я больше не увижу.
А судьи, вас, а судьи, вас,
А судьи, вас я ненавижу!»

Девчонка серые глаза
Свои печально опустила.
Никто не видел, как она
Кусочек яду проглотила.

И пошатнулася она,
Последний стон ее раздался.
И приговор в руках судьи
Так недочитанным остался.

Друзья, я песню вам пропел,
Своими видел я глазами:
Сгубили девушку одну,
Она дитя была годами.

* * *

В одном прекрасном месте,
На берегу реки,
Стоял красивый домик,
В нем жили рыбаки.

Отец уже был старый,
И мать была стара.
У них было три сына —
Красавцы хоть куда.

Один любил крестьянку,
Другой любил княжну,
А третий — молодую
Охотника жену.

Любил ее он тайно.
Охотник тот не знал,
Что жизнь его разбита
И он совсем пропал.

Однажды он собрался
В лес дальний пострелять.
И встретил он цыганку,
Просил он погадать.

Цыганка молодая
Умела ворожить,
Все карты разложила —
Не смеет говорить.

«Твоя жена неверна —
Десятка так легла,
А туз виней — могила», —
Она произнесла.

Охотник взволновался,
Цыганке уплатил,
А сам с большой досадой
Домой поворотил.

Подходит ближе к дому
И видит у крыльца:
Жена его, злодейка,
В объятьях молодца.

Раздался громкий выстрел —
Младой рыбак упал.
За ним жена-злодейка,
Потом охотник сам.

В одном прекрасном месте,
На берегу реки,
Стоял красивый домик,
В нем жили рыбаки.

* * *

Есть по Чуйскому тракту дорога,
Ездит много по ней шоферов.
Был там самый отчаянный шофер,
Звали Колька его Снегирев.

Он трехтонку, зеленую АМО,
Как родную сестренку, любил.
Чуйский тракт до монгольской границы
Он на АМО своей изучил.

А на «форде» работала Рая,
И так часто над Чуей-рекой
Раин «форд» и трехтонная АМО
Друг за дружкой неслися стрелой.

Как-то раз Колька Рае признался,
Ну а Рая суровой была:
Посмотрела на Кольку с улыбкой
И по «форду» рукой провела.

А потом Рая Кольке сказала:
«Знаешь, Коля, что думаю я:
Если АМО мой «форд» перегонит,
Значит, Раечка будет твоя».

Как-то раз из далекого Бийска
Возвращался наш Колька домой.
Мимо «форд» со смеющейся Раей
Рядом с АМО промчался стрелой.

Вздрогнул Колька, и сердце заныло —
Вспомнил Колька ее разговор.
И рванулась тут следом машина,
И запел свою песню мотор.

Ни ухабов, ни пыльной дороги
Колька больше уже не видал.
Шаг за шагом все ближе и ближе
Грузный АМО «форда» догонял.

На изгибе сравнялись машины.
Колька Раю в лицо увидал.
Увидал он, и крикнул ей: «Рая!» —
И забыл на минуту штурвал.

Тут машина, трехтонная АМО,
Вбок рванулась, с обрыва сошла
И в волнах серебрящейся Чуи
Вместе с Колей конец свой нашла.

На могилу лихому шоферу,
Что боязни и страха не знал,
Положили разбитые фары
И любимой машины штурвал.

И теперь уже больше не мчится
«Форд» знакомый над Чуей-рекой.
Он здесь едет как будто усталый,
Направляемый слабой рукой.

Есть по Чуйскому тракту дорога.
Ездит много по ней шоферов.
Был там самый отчаянный шофер,
Звали Колька его Снегирев.

* * *

И за что полюбила я Кольку,
Кольку с нежной рыбацкой душой?
Иль за кудри его золотые,
Иль за взгляд равнодушно-простой?

Как-то раз все суда задержались,
Всяк в своем неизвестном порту,
А на наших судах подходили
Солевые запасы к концу.

Снарядил управляющий лодку,
Начал он смельчаков набирать.
Обещал он им денег на водку,
Если соли сумеют достать.

Ну а море все тихо стояло,
И прибой у скалы не шумел.
Это к вечеру шторм предвещало,
И никто выходить не хотел.

Управляющий тут рассердился
И сказал, усмехаясь в усы:
— До чего же я здесь дослужился?
Здесь ведь нет рыбаков — все трусы!

Тут и вздрогнуло сердце у Кольки
И еще у семи рыбаков:
— Не боимся мы шторма на море,
Соли вам привезем сто пудов!

Ну а к вечеру шторм разыгрался.
— В первый раз! — говорят старики.
А со штормом пришло ко мне горе:
Не вернулись назад рыбаки.

Семь я суток у моря рыдала
И поэтому стала седой.
Это знают лишь скалы у моря
Да сердито шумящий прибой.

Все я синему морю прощаю:
Гибель Колькину, участь свою,
Потому что я море любила
И теперь его крепко люблю.

* * *

Три гудочка прогудело,
Все на фабрику идут.
А чекисты в это время
Все облаву ведут.

В этой миленькой облаве
Наш Арончик попал.
Окруженный лягашами,
В уголовку шагал.

Привели, посадили,
Сперва думал — шутя.
А потом объявили:
«Расстреляют тебя».

Двери камеры открылись.
Входит семь палачей.
И Арона потащили
К смертной казни своей.

Только вышли в проулок.
Кто-то крикнул: «Беги!»
Двадцать пуль ему вдогонку,
Семь осталось в груди.

А наутро в переулке
Труп Арона нашли.
Он был в кожаной тужурке,
На ногах сапоги.

Мы загнали тужурку
И его сапоги,
И купили два пол-литра,
На поминки пошли.

На столе лежит покойник,
Ярко свечи горят.
Так как был убит разбойник,
За него отомстят!

И проведала Одесса,
И проведала шпана —
Семь лягавых утопло
За Арона-вора.

Три гудочка прогудело,
Все с фабрики идут.
А семь трупов лягавых
На кладбище везут.

* * *

Судьба во всем большую роль играет,
И от судьбы ты далёко не уйдешь.
Она тобою повсюду управляет:
Куда велит, туда покорно ты идешь.

Огни притона заманчиво мерцают.
И трубы джаза так жалобно поют.
Там за столом мужчины совесть пропивают,
А дамы пивом заливают свою грудь.

И там в углу сидел один угрюмый
В костюме сером и кожаном пальто.
Он молод был, но жизнь его разбита.
В притон заброшен был своею он судьбой.

Малютка рос, и мать его кормила,
Сама не съест, а все для сына берегла.
С рукой протянутой на паперти стояла,
Дрожа от холода, в лохмотьях, без платка.

Вот сын возрос, с ворами он сознался.
Стал пить-кутить, ночами дома не бывать,
И жизнь повел в притонах и шалманах,
И позабыл он про свою старуху мать.

А мать больная лежит в сыром подвале.
Болит у матери надорванная грудь.
Она лежит в нетопленном подвале,
Не в силах руку за копейкой протянуть.

Вот скрип дверей — и двери отворились.
Вошел в костюме и кожаном пальто,
Стал на порог, сказал лишь: «Здравствуй, мама!»
И больше вымолвить не смог он ничего.

А мать на локте немного приподнялась,
Глаза опухшие на сына подняла:
«Ты, сын, пришел проведать свою маму,
Так оставайся же со мною навсегда».

«Нет, мама, нет, с тобой я не останусь,
Ведь мы судьбою навек разлучены:
Я — вор-убийца, чужой обрызган кровью,
Я — атаман среди разбойничьей семьи».

И он ушел, по-прежнему угрюмый,
Чтоб жизнь пропащую в шалманах прожигать.
А мать больная навсегда осталась
В своем подвале одиноко умирать.

И вот однажды из темного подвала
В гробу сосновом мать на кладбище несли,
А ее сына с шайкою бандитов
За преступления к расстрелу повели.

Судьба во всем большую роль играет,
И от судьбы ты далёко не уйдешь.
Она тобою повсюду управляет:
Куда велит, туда покорно ты идешь.

* * *

Огни притона заманчиво мигали,
И джаз Утесова заманчиво играл.
Там за столом мужчины совесть пропивали,
Девицы пивом заливали свою честь!

Там за столом сидел угрюмый парень,
Он был мальчишечка с изорванной судьбой.
Он молодой, но жизнь его разбита,
В притон попал он, заброшенный бедой!

Мальчишка рос, и мать его ласкала,
Сама не ела — сыну берегла.
С рукой протянутой на паперти стояла,
Дрожа от холода в лохмотьях, без пальто!

Но вырос сын, с ворами он спознался,
Стал водку пить и дома не бывать.
Он познакомился с красивою девчонкой
И позабыл совсем старушку мать!

А умирающая мать лежала на постели
И тихо сына милого звала.
И он пришел, упал пред нею на колени,
Сказав: «О мама! Мама!»
И больше вымолвить не мог он ничего.

Наутро мать лежала в белом гробе,
Наутро мать на кладбище снесли,
А молодого красивого парнишку
На расстрел поутру повели!

* * *

Окрасился месяц багрянцем,
И волны бушуют у скал.
«Поедем, красотка, кататься,
Давно я тебя не катал».

«Охотно я еду кататься,
Я волны морские люблю.
Дай парусу полную волю,
Сама же я сяду к рулю».

«Ты правишь в открытое море,
Где с бурей не справиться нам.
В такую шальную погоду
Нельзя доверяться волнам».

«Нельзя, говоришь? Почему же
В минувшей той нашей судьбе,
Ты вспомни, изменник коварный,
Как я доверялась тебе!

Меня обманул ты однажды.
Сейчас я тебя провела:
Смотри же, вот нож мой булатный,
Который с собой я взяла!»

И вот, пораженный замахом,
Не мог он в глаза ей взглянуть.
Она в него нож свой вонзила,
Потом в свою белую грудь.

Всю ночь непогода гуляла,
И волны кипели у скал.
Наутро на волнах остались
Лишь щепки того челнока.

ОТЕЦ-ПРОКУРОР

Бледной луной озарился
Старый кладбищенский бор.
А там над сырою могилой
Плакал молоденький вор.

«Ох, мама, любимая мама,
Зачем ты так рано ушла,
Свет белый покинула рано,
Отца-подлеца не нашла?

Живет он с другою семьею
И твой не услышит укор.
Он судит людей по закону,
Не зная, что сын его вор».

Но вот на скамье подсудимых
Совсем еще мальчик сидит
И голубыми глазами
На прокурора глядит.

Окончена речь прокурора.
Преступнику слово дано:
«Судите вы, строгие судьи,
Какой приговор — все равно».

Раздался коротенький выстрел.
На землю тот мальчик упал
И слышными еле словами
Отца-прокурора проклял.

«Ах, милый мой маленький мальчик,
Зачем ты так поздно сказал?
Узнал бы я все это раньше —
И я бы тебя оправдал!»

Вот бледной луной озарился
Тот старый кладбищенский бор.
И там над двойною могилою
Плакал седой прокурор.

* * *

Костер давно погас,
А ты все слушаешь.
Густое облако
Скрыло луну.

Я расскажу тебе,
Как жил с цыганами
И как ушел от них
И почему.

В цыганский табор я
Попал мальчишкою.
В цыганку гордую
Влюбился я.

Но я не знал тогда
Про жизнь цыганскую,
Любви цыганской я
Не знал тогда.

Однажды вечером
Взгрустнулось что-то мне,
И я отправился
К реке гулять.

Гляжу: цыганка там
С другим целуется,
И злобный взгляд ее
Ожег меня.

Цыганка гордая
Вперед подалася
И тихо молвила
В ночную мглу:

«Я птица вольная,
Люблю цыгана я
И за любовь свою
Всегда умру».

Как это водится,
Цыгане табором
Кочуют издавна
Средь рек и гор.

А та цыганка мне
Всю жизнь испортила
И отняла навек
Покой и сон.

МАРУСЯ ОТРАВИЛАСЬ

Вот вечер вечереет.
Все с фабрики идут.
Маруся отравилась.
В больницу повезут.

В больницу привозили,
Ложили на кровать.
Два доктора с сестрицей
Старались жизнь спасать.

«Спасайте — не спасайте —
Мне жизнь не дорога.
Я милого любила,
Такого подлеца».

Пришла ее мамаша:
Хотела навестить.
А доктор отвечает:
«Без памяти лежит».

Пришли ее подружки:
Хотели навестить.
А доктор отвечает:
«Уж при смерти лежит».

Пришел и друг любезный:
Хотел он навестить.
А доктор отвечает:
«В часовенке лежит».

Идет милой в часовню.
Там черный гроб стоит.
А в этом черном гробе
Марусенька лежит.

«Маруся ты, Маруся,
Открой свои глаза.
А если не откроешь,
Умру с тобой и я.

Маруся ты, Маруся,
Открой свои глаза».
А сторож отвечает:
«Давно уж померла».

А вечер вечереет.
Густая тьма легла.
Маруся отравилась.
Маруся умерла.

НОЧНАЯ БАБОЧКА

* * *

На Украине, где-то в городе,
Я на той стороне родилась
И девчонкою лет семнадцати
Мужикам за гроши продалась.

Как пошла я раз на Садовую,
Напоролась на парня-шпану.
Стал он песню петь, песню длинную,
Потащил он меня в темноту.

И друзей своих тут он вмиг собрал.
И тут стала совсем я своей.
Захотелось мне в эту ноченьку
Заработать на целке своей.

Платье белое с плеч свалилося.
Мне был сладок его поцелуй.
Сердце девичье вдруг забилося,
Как увидела я его хуй.

На Украине, где-то в городе,
Я на той стороне родилась
И девчонкою лет семнадцати
Мужикам за гроши продалась.

* * *

Перебиты, поломаны крылья.
Дикой болью всю душу свело.
Кокаина серебряной пылью
Все дороги-пути замело.

Восьми лет школу я посещала,
Десяти — сиротою была,
А семнадцатый мне миновало —
Я курила, ругалась, пила.

Клала много на личико краски.
Спотыкач я жандармский знала.
Всем мужчинам я строила глазки,
Жизнь греховную с ними вела.

Кокаина всегда не хватало,
Но ходила на воле пока,
А потом я под стражу попала
За поломку большого замка.

Пойте, струны гитары, рыдая, —
В моем сердце найдете ответ.
Я девчонка еще молодая,
А душе моей тысяча лет.

Мчат по рельсам разбитым вагоны,
И колеса стучат и стучат...
Я с толпою сижу заключенных,
И толпою мне все говорят:

Перебиты, поломаны крылья.
Дикой болью всю душу свело.
Кокаина серебряной пылью
Все дороги-пути замело.

* * *

Вечный холод и мрак в этих душных стенах,
Освещенных чуть светом лампад.
И на душу наводит томительный страх
Образов нескончаемый ряд.

Как-то ранней весной вместе с первым лучом
Мотылек в мою келью впорхнул.
Он уста мои принял за алый цветок,
Жадно, с нежностью к ним он прильнул.

С той поры я не знаю, что сталось со мной.
Целый день я сама не своя:
Мне все чудится сад, озаренный луной,
Всюду слышится песнь соловья.

И поститься нет сил, и молиться нет слов.
Я нема пред распятьем святым.
О, снимите с меня этот черный покров,
Дайте волю кудрям золотым!

* * *

Фраер топает за мной,
А мне нравится блатной!
Мама, я жулика люблю!
Жулик любит воровать,
А я буду продавать,
Мама, я жулика люблю!

Манты ходят, жулик спит,
А мое сердце так болит,
Мама, я жулика люблю!
Жулик любит воровать,
А я буду продавать,
Мама, я жулика люблю!

Где блатные, там и я.
Все блатные — боль моя.
Мама, я жулика люблю!
Жулик будет воровать,
А я буду продавать,
Мама, я жулика люблю!

Жулик ходит в кандалах,
А я с фраером в шелках,
Мама, я жулика люблю!
Жулик будет воровать,
А я буду продавать,
Мама, я жулика люблю!

Фраер будет мой страдать,
А я буду пропивать,
Мама, я жулика люблю!
Жулик будет воровать,
А я буду продавать,
Мама, я жулика люблю!

* * *

Губ твоих накрашенных малина,
В кольцах пальцы ласковой руки.
От бессонницы и кокаина
Под глазами черные круги.

Припев
Муж твой в далеком море
Ждет от тебя привета,
В суровом ночном дозоре
Шепчет: «Где ты? Где ты?»

Зубки твои в чувственном оскале,
Тонкая, изломанная бровь.
Слишком многие тебя ласкали,
Чтоб мужскую знала ты любовь.

Припев

Офицеров знала ты немало —
Кортики, погоны, ордена...
О такой ли жизни ты мечтала,
Трижды разведенная жена?

Припев

У любви порочной ты во власти.
И тогда, послушны и легки,
Цепенеют в пароксизме страсти
Пальчики изнеженной руки.

Припев

Наполняясь, звякнули бокалы,
На подушку капли уронив,

Сброшенный мужской рукой усталой,
Шлепнулся на пол презерватив.

Припев

Лишь порою встанешь ты не рано
С грустью от загубленной красы...
А на вечер — снова рестораны,
И снимаешь тонкие трусы.

Припев

Отошли в небытие притоны
Легких девок в наши времена,
Но верна велению закона
Чья-нибудь хорошая жена.

Припев
Муж твой в далеком море
Ждет от тебя привета,
В суровом ночном дозоре
Шепчет: «Где ты? Где ты?»

КИРПИЧИКИ

На окраине где-то в городе
Я в убогой семье родилась
И девчонкою лет пятнадцати
На кирпичный завод нанялась.

Было трудно мне время первое,
Но изменчива злая судьба.
И однажды мне счастье выпало,
Где кирпичная в небо труба.

На заводе том Сеню встретила,
Он на тачке возил кирпичи.
Ох, кирпичики, вы кирпичики,
Полюбила его от души.

Он кирпич возил и со мной шутил:
Развеселым он мальчиком был.
И сама тогда не заметила,
Как он тоже меня полюбил.

Каждый раз мы с ним там встречалися,
Где кирпич образует проход.
Вот за эти-то за кирпичики
Полюбила я этот завод.

Но потом — война буржуазная.
Сеню взяли туда моего.
Ох, кирпичики, вы кирпичики,
Тяжело было мне без него.

Сеня кровь свою проливал в боях,
За Россию всю жизнь он отдал.
И судьбу мою разнесчастную,
Как нежженый кирпич, поломал.

На заводе том довелось узнать
Безотрадное бабье житье.
Ох, кирпичики, вы кирпичики,
Только вы знали горе мое.

Много лет война продолжалася.
Огрубел, обозлился народ,
И по винтику, по кирпичику
Растащил он кирпичный завод.

* * *

Виновата ли я, виновата ли я,
Виновата ли я, что люблю?
Виновата ли я, что мой голос дрожал,
Когда слушал ты песню мою?

Ночь дана для любви, ночь дана для утех,
Ночью спать непростительный грех.
Ночью звезды горят, ночью ласки дарят,
Ночью все о любви говорят.

Целовал-миловал, целовал-миловал,
Обещал в эту ночь мне всего.
А я рада была и, как роза, цвела,
Потому что любила его.

Виновата во всем, виновата кругом...
Еще хочешь себя оправдать!
Ах, зачем я, зачем в эту лунную ночь
Позволяла себя целовать?!

* * *

Ты едешь пьяная и очень бледная
По темным улицам совсем одна.
И смутно помнишь ты ту скуку медную
И штору синюю окна.

А на диване — подушки алые.
Духи «Дорсе», коньяк «Мартель».
Глаза янтарные, всегда усталые,
Распухших губ любовный хмель.

Пришлось узнать тебе жизнь тротуарную
И быть любовницей — не знать кого.
И только хмель один, такой коварный,
Все разрешает для чего.

А ведь когда-то была счастливою,
В любви и верности клялась.
Теперь больною, совсем разбитою
К себе домой она плелась.

Пусть муж обманутый и равнодушный
Жену неверную в столовой ждет.
Любовник знает: она послушная,
Молясь и плача, опять придет.

Но вот муж молится в своей каморочке.
Она, любимая, уж не живет.
Любовник сумрачный поймет не скоро,
Что больше нет ее. И не придет.

* * *

Однажды морем я плыла
На корабле одном,
Погода чудная была,
Вдруг разыгрался шторм.

Припев
Ай-ай-ай-ай! В глазах туман,
Кружится голова...
Едва стою я на ногах,
Но я ведь не пьяна.

А капитан приветлив был —
В каюту пригласил,
Налил шампанского бокал
И выпить предложил.

Припев

Бокал я выпила до дна,
В каюте прилегла,
И то, что с детства берегла,
Ему я отдала.

Припев

А через год родился сын,
Морской волны буян.
Но кто же в этом виноват?
Конечно, капитан.

Припев

С тех пор прошло немало лет,
Как морем я плыла,

Но как увижу пароход –
Кружится голова

Припев

Умейте жить! Умейте пить!
И все от жизни брать!
Ведь все равно когда-нибудь
Придется умирать!

Припев
Ай-ай-ай-ай! В глазах туман,
Кружится голова.
Едва стою я на ногах...
И все же я пьяна!

* * *

Пошла я раз купаться —
Ко мне пристал мужик.
Я стала раздеваться,
А он и говорит:

«Какие у вас ляжки!
Какие буфера!
Нельзя ли вас потрахать
Рубля за полтора?»

Дает мне рубль порватый
И добавляет два.
А у меня характер:
Взяла да и дала.

Кто очень сильно просит,
Ну как тому не дать?!
Раздвинула я ноги —
Он стал меня ебать.

Ебет, ебет — соскочит,
Головкой помотает,
О камешек поточит
И снова начинает.

* * *

У меня ль была
Шире маминой
Юбка белая,
Накрахмалена.

А теперь не то —
Не стоит его
Эскадрон лихой
За Москвой-рекой.

Как бывало, я
Всё давала я
Целовать свою
Ручку нежную.

А теперь не то —
Не стоит его
В штанах бархатных
У двери лакей.

Как бывало, он
Придет, всунет мне
Розу белую
В косу русую.

А теперь не то —
Не стоит его
На столе моем
Белых роз букет.

Как бывало, я
Подмахну ему
Из окошечка
Платком аленьким.

А теперь не то —
Не стоит его
Каждый день с утра
Тройка с кучером.

* * *

Помню — я еще девчоночкой была.
Никому еще ни разу не дала.
Полюбил меня механик молодой.
Затянул меня в канаву с головой.

Поднимает полосатый сарафан,
Хуй горбатый приближает к волосам.
Впер в пизду он мне такую сатану —
Десять суток я валялась на полу.

До сих пор трещит пизда напополам.
Сука буду, я механику не дам.
У него, видать, железки на муде,
И натер он мне мозоли на пизде.

* * *

Когда пора любви настала,
Балы я стала посещать
И чуть не каждому давала...
Раз десять ручку целовать.

Мы возвращались как-то с бала.
В карете душно и темно.
Он так просил! — я не давала...
Поднять каретное окно.

Порывом ветра шляпу сдуло.
И я нагнулась, чтоб поднять.
А он нахально сзади всунул...
Мне розу алую под прядь.

* * *

Галя была девочка блатная.
Хулиганам всем она давала.
Только вечер наступает —
Галя из дому шагает
И выходит прямо на бульвар.

И при виде этого товара
Хулиганы со всего бульвара
Быстро очередь создали,
Галю в скверик затолкали,
И пошла работа полным ходом.

Тут подходит старый старичок:
«Дайте поебаться хоть разок!»
«Старый хрен, куда ты прешься,
Что ты дома не ебешься
Аль тебе старуха не дает?!»

Отвечает старый старичок,
Вытащив залупу с кулачок:
«Не хочу я на старуху,
Я хочу на молодуху!»
И на Галю враз забрался он.

Очередь десятого настала.
Галечка подмахивать не стала:
Разорвал пизду до пупа
Ей старик своей залупой
И залил все ляжки молофьей.

Срок пришел — и мальчика родила.
Всех своих знакомых удивила:
Волос рыжий, как у Мишки,
Нос горбатый, как у Гришки,
А залупой вышел в старика.

ДЕВУШКА ИЗ ТАВЕРНЫ

* * *

Чайный домик словно бонбоньерка,
Палисадник из цветущих роз...
С Балтики пришедшей канонерки
Как-то раз зашел туда матрос.

Там ему красавица японка
Напевала песни о любви.
А когда за горы скрылось солнце,
Долго целовалися они.

Утром уходила канонерка.
Трепетал на мачте гордый флаг.
Отчего-то плакала японка,
Отчего-то грустен был моряк.

Незаметно годы пролетели.
Мальчик в доме быстро подрастал.
Серые глаза его блестели.
Он японку мамой называл.

«Где мой папа?» — спрашивал мальчонка,
Не скрывая детских своих слез.
И ему ответила японка:
«Папа твой был с Балтики матрос».

Чайный домик словно бонбоньерка,
Палисадник из цветущих роз...
С Балтики пришедшей канонерки
Как-то раз зашел туда матрос.

* * *

В нашу гавань заходили корабли,
Большие корабли из океана.
В таверне пировали моряки
И пили за здоровье атамана.

В таверне шум и гам и духота.
Пираты упивались танцем Мэри.
Не танец их пленил, а красота.
Внезапно распахнулись с шумом двери.

В дверях стоял наездник молодой,
Его глаза как молнии сверкали.
Наездник был красивый сам собой.
Его все знали как ковбоя Гарри.

«Мэри, вот вернулся Гарри твой!»
«Нет, братцы, он не наш, не с океана!
Я, Гарри, рассчитаюся с тобой!» —
Раздался пьяный голос капитана.

И в воздухе сверкнули два ножа.
Матросы затаили все дыханье.
Все знали капитана как вождя
И мастера по делу фехтованья.

Но Гарри был суров и молчалив.
Он знал, что ему Мэри изменила.
Он молча защищался у перил.
И Мэри в этот миг его любила.

Со стоном повалился капитан.
А губы Мэри тихо прошептали:
«Погиб пират — пусть плачет океан».
Кровь капала с ножа ковбоя Гарри.

В нашу гавань заходили корабли,
Большие корабли из океана.
В таверне веселились моряки
И пили уж за Гарри — атамана.

* * *

Там, где обезьяны хавают бананы,
Там, где среди джунглей племя ням живет,
Появился парень, стильный и красивый,
Парень из Чикаго — Джонни Кашалот.

Припев
Раньше слушал Баха фуги, Африка,
А теперь танцую буги, Африка.
В мире нет прекрасней джаза, Африка.
Все классическое — лажа! Африка!

Тигры и гориллы, львы и крокодилы
Разевали пасти до самых ушей.
Но, увидев галстук, стильные подошвы,
Разом улыбались и гаркали «О'кей!».

Припев

Из-за пальмы стройной, молодой и знойной,
Вышло кодло негров посмотреть на стиль.
Там у баобаба, всем на удивленье,
Джонни бацал буги, выколачивая пыль.

Припев
Раньше слушал Баха фуги, Африка,
А теперь танцую буги, Африка.
В мире нет прекрасней джаза, Африка.
Все классическое — лажа! Африка!

ДЕВУШКА ИЗ МАЛЕНЬКОЙ ТАВЕРНЫ

Девушку из маленькой таверны
Полюбил суровый капитан,
Девушку с глазами дикой серны
И румянцем ярким, как тюльпан.
Полюбил за пепельные косы,
Алых губ нетронутый коралл,
В честь которых пьяные матросы
Поднимали не один бокал.

Сколько раз с попутными ветрами
Из далеких и богатых стран
Белый бриг с туземными коврами
Приводил суровый капитан.
Словно рыцарь сумрачный, но верный,
Он спешил на милый огонек:
К девушке из маленькой таверны,
К девушке — виновнице тревог.

А она спокойно, величаво
Принимала ласку и привет,
Но однажды гордо и лукаво
Бросила безжалостное «Нет!».
Он ушел покорный и унылый,
Головою буйною поник.
А наутро чайкой белокрылой
Далеко маячил в море бриг.

В этот год, предчувствуя награду,
Несмотря на штормы и туман,
Белый бриг из Персии в Канаду
Снова вел суровый капитан.
Словно рыцарь сумрачный, но верный,
Он спешил на милый огонек:
К девушке из маленькой таверны,
К девушке — виновнице тревог.

Он не видел пьяного матроса,
Грубые не слышал голоса,
Только видел пепельные косы,
Серые пугливые глаза.
Но, войдя в завесу из тумана,
Налетел на скалы белый бриг.
Пенистые волны океана
Судно поглотили в один миг.

И никто не мог сказать наверно,
Почему в вечерний поздний час
Девушка из маленькой таверны
С океана не спускает глаз.
Вновь никто не понял из таверны,
Даже сам хозяин кабака —
Девушка с глазами дикой серны
Бросилась в пучину с маяка.

АЛИ-БАБА

На дальнем юге в городе Стамбуле,
В столице Турции Али-Баба живет.
Танцует румбу в баре ресторана,
А с ним танцует румбу весь народ.

Припев
«Али-Баба!
Смотри, какая баба!
Она танцует, ворует,
Смеется и поет».

Когда же полночь в баре наступает
И все вповалку пьяные лежат,
Али-Баба сосисками рыгает,
И по-турецки пьяные кричат:

Припев

Но как-то вдруг Али-Баба скончался
И вскоре был на кладбище зарыт,
И весь Стамбул от горя содрогался,
Но все же был он водкою обмыт.

Припев

На минаретах всё муэдзины лают,
И солнце льет свой черноморский душ.
Али-Бабу пропойцы поминают,
Валяясь среди мутных желтых луж.

Припев
«Али-Баба!
Смотри, какая баба!
Она танцует, ворует,
Смеется и поет».

ДЕВУШКА ИЗ НАГАСАКИ

Он — капитан, и родина его — Марсель.
Он обожает ссоры, брань и драки.
Он курит трубку, пьет крепчайший эль
И любит девушку из Нагасаки.

У ней следы проказы на руках,
На ней татуированные знаки.
И вечерами джигу в кабаках
Танцует девушка из Нагасаки.

У ней такая маленькая грудь,
А губы, губы алые как маки.
Уходит капитан в далекий путь,
Целует девушку из Нагасаки.

Когда жестокий шторм, когда ревет гроза
И в тихие часы, сидя на баке,
Он вспоминает карие глаза
И бредит девушкой из Нагасаки.

Кораллов нити красные как кровь,
И шелковую блузку цвета хаки,
И верную и нежную любовь
Везет он девушке из Нагасаки.

И вот вернулся он, спешит, едва дыша,
И узнает, что господин во фраке,
Однажды накурившись гашиша,
Зарезал девушку из Нагасаки.

У ней такая маленькая грудь,
А губы, губы алые, как маки...
Ушел наш капитан в далекий путь,
Не видев девушки из Нагасаки

* * *

Большая страна Китай,
Народу в ней не счесть.
Красивый порт Шанхай
На берегу моря есть.

А на берегу Янцзы
Сопки покрыл туман.
Тянут сети рыбаки
Желтые, как банан.

Лица у них угрюмы.
Ноги свела цинга.
А на могилах их
Вечно поет пурга.

Шанхай, корабли встречай!
Они идут гурьбой.
И ароматный чай
Они везут с собой.

Большая страна Китай,
Народу в ней не счесть.
Красивый порт Шанхай
На берегу там есть.

* * *

Не надо грустить, господа офицеры,
Что мы потеряли, ничем не вернуть.
Нет с нами отечества, нет с нами веры,
И кровью отмечен весь пройденный путь.

Вот мы неприятелем к Дону прижаты,
За нами остались полоски земли.
Пылают станицы, деревья и хаты,
Но все же чего-то поджечь не смогли.

Разбейте, поручик, стакан с самогоном,
Ведь вы не найдете спасенья в вине.
Все знают: командовать вам эскадроном,
Чему удивляться, ведь вы на войне.

И вы, есаул, не тянитесь к бутылке,
Юнцам подавая дурацкий пример.
Я знаю, что ваши родные в Бутырке,
Но вы не мальчишка, а вы офицер.

По нашим следам смерть за смертью несется.
Спасибо, друзья, что я здесь не один.
И мне вместе с вами погибнуть придется,
Поскольку я русский и я дворянин.

* * *

Не пишите мне писем,
Дорогая графиня,
Для сурового часа
Письма слишком нежны.
Я и так сберегу
Ваше светлое имя,
Как ромашку от пули
На поле войны.

Пусть в безумной России
Не найти мне приюта
И в крови захлебнулись
Луга и поля,
Но осталась минута,
Нашей боли минута,
Чтоб проститься с отчизной
С борта корабля.

Не пишите, графиня,
Нет в живых адресата.
Упустили Россию,
Как сквозь пальцы песок,
Ах, Россия, Россия,
Разве ты виновата,
Что пускаю я пулю
В поседевший висок!

Ведь в безумной России
Не найти мне приюта,
Там в крови захлебнулись
И луга и поля,
И осталась минута,
Нашей смерти минута,
Чтоб проститься с Россией
С борта корабля!

* * *

Быстро-быстро, как песня,
Дни пройдут как часы,
Лягут синие рельсы
От Москвы до Янцзы,
И мелькнет за перроном
Золотистый платок...
Поезд вихрем зеленым,
Поезд вихрем зеленым
Нас умчит на восток!

Впереди перекличка
Эшелоновых встреч.
Зазвучит непривычно
Иностранная речь,
И в дороге один я
Передумаю вновь:
За кордоном Россия,
За кордоном Россия,
За кордоном любовь.

Быстро-быстро, как песня,
Дни пройдут как часы,
Лягут синие рельсы
От Янцзы до Москвы.
Ты придешь меня встретить
На Казанский вокзал.
Улыбнутся сквозь слезы,
Улыбнутся сквозь слезы
Голубые глаза...

* * *

Дорога в жизни одна,
В могилу всех сводит она,
И как ты по ней ни пойдешь,
Ты смерть свою всюду найдешь.

Есть в Батавии маленький дом
На окраине в поле пустом.
Там ночью гуляют и пьют,
Все выпьют и снова нальют.

Там ровно в двенадцать часов
Слуга поднимает засов.
И снова гуляют и пьют
И песню такую поют:

«Один раз в жизни живешь.
Что можешь от жизни берешь.
Днем раньше, днем позже умрешь,
Но прошлого ты не вернешь».

Из-за пары растрепанных кос
С оборванцем подрался матрос:
Подстрекаемый шумной толпой,
Оборванца ударил рукой.

И сцепились два тела, дрожа,
И скрестились два острых ножа.
Оборванец был молод и смел,
Одолеть он матроса сумел.

И чтоб лучше врага рассмотреть,
Он решил перед трупом присесть.
Но тотчас же над ним застонал:
Он по родинке брата узнал.

Тут в дом через узенький двор
Вошел полицейский дозор.
Оборванец был дерзок и смел,
Поднял брата и громко запел:

«Один раз в жизни живешь.
Что можешь от жизни берешь.
Днем раньше, днем позже умрешь,
Но прошлого ты не вернешь».

* * *

Там, где Ганг впадает в океан,
Там, где голубеет небосклон,
Там, где тигр крадется средь лиан
И по джунглям бродит дикий слон,
Там раджа гнетет великан-народ,
И порой звучит там один напев,
То поет индус, свой скрывая гнев:

«Край велик Пенджаб,
Там жесток раджа,
И порой его приказ
Смерть и кровь несет для нас.
Для жены своей,
Для пустых затей
Славный свой народ
Магараджа гнетет».

Лесть придворных сделалась груба,
И печаль властителя томит.
— Эй, позвать ко мне сюда раба!
Пусть хоть он меня развеселит.
Юный раб предстал, и раджа сказал:
— Все вы в верности мне клялись не раз,
Так исполни, раб, мой наказ.

Край велик Пенджаб,
Так велит раджа:
В мире ту, кого
Любишь всех сильней,
Поди убей.
Так тебе сказал,
Так я приказал.
Слово — закон,
Иль ты будешь казнен.

Ждет три дня и три ночи весь Пенджаб.
Ждет владыка, опершись о трон.
Вот приходит к нему бедный раб,
Чью-то голову приносит он.
И глядит раджа на нее, дрожа,

В ней знакомые черты нежны,
В ней узнал лицо он своей жены.
Край велик Пенджаб!
— Как велел раджа,
В мире ту, кого любил,
Для тебя твой раб убил.

Так ты мне сказал,
Так ты приказал,
Верность слепа,
Прими дар раба.

* * *

Течет речка по пескам
С горного потока,
А за девицей матрос
Гонится с далека.

«Вы, матросы-моряки,
Где же ваши шлюпки?
Поцелуй меня, матрос,
В аленькие губки!

Мать совета не дает
Замуж за матроса:
Не послушалася я
Мамина совета,
С молодым матросом я
Еду на край света».

Год прошел, другой настал.
Дочь бредет уныло,
На руках она несет
Да матросенка-сына.

— Прими, маменька, меня,
Прими, дорогая,
Через годик будет звать
«Бабушка родная».

— Иди, дочь, иди туда,
С кем совет имела,
Моего совета ты
Слушать не схотела.

У матросской жены
Слеза покатилась,

С матросенком на руках
Да в море утопилась.

А наутро по волнам
Труп ее несется,
А матрос на корабле
Смотрит да смеется.

В КЕЙПТАУНСКОМ ПОРТУ

В Кейптаунском порту
С какао на борту
«Жанетта» поправляла такелаж.
Но прежде чем идти
В далекие пути,
На берег был отпущен экипаж.
Идут сутулятся,
Вливаясь в улицы,
И клеши новые полощет бриз...

Они спешат туда,
Где можно без труда
Найти веселых женщин и вино:
Там чувства продают,
Недорого берут,
И многое для них разрешено.
Там пиво пенится,
И пить не ленятся,
И ласки грубые волнуют кровь.

Но с ночи в этот порт
Ворвался пакетбот,
Залитый серебром прожекторов,
И вот — едва рассвет —
Сидят в таверне «Кэт»
Две дюжины английских моряков:
Здесь все повенчано
С вином и женщиной
И юбки узкие трещат по швам.

Зайдя в тот балаган,
Увидев англичан,
Французы стали шутки отпускать,

Один гигант француз
По прозвищу Бутуз —
Хотел у боцмана он Мэри оттянуть.
Но боцман Даунинг
Достал свой браунинг,
И как подкошенный упал француз.

В командах моряков,
Рассерженных волков,
Товарищей не бросили в беде,
И, кортики достав,
Поправ морской устав,
Они сошлись как тысяча чертей.
На клеши новые,
Полуметровые
Ручьями алыми полилась кровь.

А юнга не спешил,
Троих он уложил,
Четвертого прикончить не успел.
Споткнулся и упал,
И больше он не встал.
На чей-то острый кортик налетел.

Уж больше не пройдут
По палубе на ют
Четырнадцать отважных моряков.
Уйдут суда без них,
Безмолвных и чужих,
Не будет их манить свет маяков,
Не быть им в плаванье,
Не видеть гавани
И не искать утех на берегу.

Им не ходить туда,
Где можно без труда
Найти веселых женщин и вино,
Где чувства продают,

Недорого берут
И многое для них разрешено,
Где пиво пенится
И жить не ленятся,
Но так легко порой вскипает кровь.

ДЕВУШКА В СЕРЕНЬКОЙ ЮБКЕ

Когда в море горит бирюза,
Опасайся шального поступка.
У нее голубые глаза
И дорожная серая юбка.

Увидавши ее на борту,
Капитан вылезает из рубки
И становится с трубкой во рту
Возле девушки в серенькой юбке.

Говорит про оставшийся путь
И как будто любуется шлюпкой,
А сам смотрит на девичью грудь
И на ножки под серенькой юбкой.

Капитан, курс неверный смени,
Не поддайся порывам зюйд-веста.
Эта мисс из богатой семьи
И шикарного лорда невеста.

Но под утро в каюте лежит
Позабыта заветная трубка
И такая простая на вид
Вся измятая серая юбка.

Капитан снова с трубкой во рту.
Синий дым извлекает из трубки.
А в далеком английском порту
Плачет девушка в серенькой юбке.

ДЖОН ГРЭЙ

В Одессу — порт торговый —
Прибыл корабль новый,
Из Аргентины привез он песню.
Песенка интересна,
Напев ее чудесный,
Название — «Джон Грэй».

В стране далекой Юга,
Там, где не злится вьюга,
Жил-был красавец Джон Грэй-техасец.
Он был большой повеса
И силой с Геркулеса,
Славен, как Дон-Кихот.

Рита и крошка Нелли
Увлечь его сумели,
Часто в любви им клялся обеим.
Часто порой вечерней
Он танцевал в таверне
Танго или фокстрот.

Но вот уж две недели
Джон Грэй не видит Нелли.
Рита с усмешкой шепчет коварно:
«Нелли тебя забыла,
Время проводит мило
С Гарри в «Отеле Роз».

Джон Грэй спешит к отелю,
В номер неверной Нелли,
Тихо стучится. Слышит: «Войдите».
Нелли застал он в паре
С юным коварным Гарри,
Вот что он ей сказал:

«Ваша подруга Рита
Очень на вас сердита,
Шлет вам подарок, просит: примите.
Вы же не будьте строги —
Я так устал с дороги —
Дайте стакан вина.

Я пью за честь ковбоя.
Я пью за вас обоих:
За крошку Нелли и Гарри тоже.
Счастье у Джона будет,
Джон Грэй его добудет.
Джон Грэй всегда таков».

Кинжал в руке у Джона.
Тихо, без слов и стона,
С грудью пробитой Нелли упала.
Гарри вскочил на ноги.
Джон Грэй кричит: «С дороги!»,
В Гарри вонзил кинжал.

И вот при лунном свете
Лежат два трупа вместе:
Один — труп Нелли, другой — труп Гарри.
Пейте — вина всем хватит.
Джон Грэй за всех заплатит.
Джон Грэй богаче всех.

При лунном свете — пары.
Звенят, гремят гитары.
Танцуют всюду фокстрот и танго.
Пейте — вина всем хватит.
Джон Грэй за всех заплатит.
Но за измену — нож!

ТАНГО ЦВЕТОВ

Дочь рудокопа Джаней,
Вся извиваясь как змей,
Танцует «Танго цветов»,
Даря матросу любовь.
Выводят скрипки мотив,
Что так безумно красив.
Но что такое бонтон,
Не знает грязный притон.

Однажды в этот притон
Зашел красавец барон,
Увидел крошку Джаней,
Что извивалась как змей.
При свете тусклых огней
Барон подходит к Джаней,
Среди бандитов, воров
Танцует «Танго цветов».

И говорит он Джаней:
«Ты будешь Музой моей,
Бросай свой грязный притон,
Войди в мой дивный салон.
Ходить ты будешь в шелках,
Купаться будешь в духах,
Среди персидских ковров
Станцуем «Танго цветов».

Матрос был очень ревнив.
Он слышит, голос игрив.
Он видит крошку Джаней,
Барона видит он с ней.
Шагнул к барону матрос —
С кинжалом руку занес
И, хоть был полон весь зал,
Вонзил в барона кинжал.

Барон со стоном упал,
И ахнул в ужасе зал.
И тут — понятно без слов —
Прервалось «Танго цветов».
Но вновь танцует Джаней,
Вся извиваясь как змей,
А вместо свадебных роз
Рыдают скрипки без слез.

ШУМИТ НОЧНОЙ МАРСЕЛЬ

Шумит ночной Марсель
В «Притоне трех бродяг»,
Там пьют матросы эль
И девушки с мужчинами жуют табак.

Там средь вина и чар
Сильней горят глаза,
Царит всю ночь разврат
И руки тянутся к ножам за пояса.

Там жизнь недорога.
Опасна там любовь.
Недаром негр-слуга
Так часто по утрам стирает с пола кровь.

Как вдруг в перчатках черных дева
В «Притон бродяг» вошла несмело.
Она за стол дубовый села
Совсем, совсем одна.

И в «Притоне трех бродяг»
Стало тихо в первый раз,
И никто не мог никак
Оторвать от девы глаз.

Лишь один блестящий взор
Из угла, как жар, горел:
Жак Монах — апаш и вор —
Пил вино белей чем мел.

И, не допив вино,
Он к даме поспешил
И, сняв с плечей манто,
На быстрый танец крошку Мэри пригласил.

Но в этот самый миг
Открылась дверь в притон.
Раздался тихий вскрик,
И замолчал тотчас оркестра мерный звон.

И опять затих притон,
Увидав морского льва.
Это он — бесстрашный Джон.
Перед ним дрожит толпа.

Джон на этот раз не стал
Занимать отдельный стол.
На пороге он стоял,
Устремив на Мэри взор.

И, увидев этот взгляд,
Жак Монах на миг застыл...
Но не тот «Притон бродяг»,
Чтобы вечер тихо плыл.

Шумит ночной Марсель
В «Притоне трех бродяг»,
Там пьют матросы эль
И девушки с мужчинами жуют табак.

Под этот самый шум
Джон выхватил кинжал
И вмиг без лишних дум
На Жака безоружного, как зверь, напал.

Но Жак успел схватить
Нож острый со стола
И им же поразить
Рассвирепевшего так Джона-моряка.

И упал бесстрашный Джон
Возле ног прекрасной Мэри.
Лишь успел сказать им он:
«Вы за мной закройте двери...»

Шумит ночной Марсель
В «Притоне трех бродяг»,
Там пьют матросы эль
И девушки с мужчинами жуют табак.

* * *

В далеком Рио спят корабли.
А в темном баре зажглись огни:
Там увлекаются, там наслаждаются
И пьют бокалами шипучее вино.

Один лишь парень сидит грустит.
Его Марьяна с другим кружит.
Она танцует, его волнует
И на вопросы ничего не говорит.

Тогда ей парень букет несет.
Марьяна в руки его берет.
Букет приняла, захохотала
И по цветочку разбросала на паркет.

Мой милый мальчик, ты не грусти.
Мы в шумном баре, где нет любви.
Ведь там, где женщины с вином обвенчаны,
Любовь и совесть уже пропиты давно.

В далеком Рио давно все спят.
А в шумном баре огни горят:
Там увлекаются, там наслаждаются
И пьют бокалами шипучее вино.

МАРГАРИТА

Было то в притоне Сан-Франциско...
Там шумит огромный океан.
Там однажды утром, на рассвете,
Разыгрался сильный ураган.

Девушку там звали Маргарита,
И она красивою была.
За нее лихие капитаны
Часто выпивали до утра.

Маргариту многие любили,
Но она любила всех шутя.
За любовь ей дорого платили,
За красу дарили жемчуга.

Но однажды в тот притон явился
Статный чернобровый капитан.
Белоснежный китель и тельняшка
Плотно облегали его стан.

Сам он жил когда-то в Сан-Франциско
И имел красивую сестру.
После долгих лет своих скитаний
Прибыл он на родину свою.

Быстро капитан успел напиться —
В нем кипели страсти моряка —
И дрожащим голосом от страсти
Подозвал девчонку с кабака.

Маргарита легкою походкой
Тихо к капитану подошла
И в кабину с голубою шторкой
Капитана быстро увела.

Ночь прошла, и утро наступило.
Голова болела после ласк...
И впервые наша Маргарита
С капитана не сводила глаз.

Маргарита легкою походкой
Снова к капитану подошла
И спросила: знает ли он Смита,
Смита — ее брата-моряка?

Капитан при этом тихо вздрогнул:
Девушка была его сестрой!
«Милая сестренка Маргарита,
Что же натворили мы с тобой!»

Тут раздался выстрел пистолетный.
Маргаритин труп на пол упал.
Смит стоял задумчиво и хмуро,
Пистолет дымящийся держал.

Было то в притоне Сан-Франциско.
Там шумит огромный океан.
Бросился с высокого обрыва
Статный чернобровый капитан.

ЮНГА БИЛЛ

На корабле матросы злы и грубы.
Бранит их в рупор старый капитан.
У юнги Билла стиснутые зубы,
Он видит берег сквозь густой туман.

На берегу осталась крошка Мэри.
Она стоит в тумане голубом.
А юнга Билл ей верит и не верит
И машет ей подаренным платком.

Припев
В гавани, далекой гавани
Пары разводят с океанов корабли.
Они из гавани уходят в плаванье,
Они идут на край земли.

Вернулся Билл из Северной Канады:
«А ну, друзья, налейте мне вина —
Мне за здоровье Мэри выпить надо,
За ту любовь, что дарит мне она!»

Но тут в таверне распахнулись двери.
Глаза у Билла вылезли на лоб:
Пред ним стояла вся в смущенье Мэри,
А рядом с ней огромный боцман Боб.

Припев

«Послушай, Боб, поговорим короче,
Как подобает старым морякам.
Я опоздал всего лишь на две ночи,
Но остальные даром не отдам!»
Сверкнула сталь, сошлись в бою матросы.
Как лев дерется юнга молодой.

Они дрались за пепельные косы,
За крошки Мэри образ голубой.

Припев

Но весь исход был предрешен заране:
Ударил в цель пиратский Бобов нож,
Хоть он всего лишь руку Биллу ранил,
Но Билл осел, как вспоротый мешок.

Года, как чайки в море, пролетали,
И Билл давно ту драку позабыл.
Теперь его не юнгой Биллом звали,
А называли: старый боцман Билл.

Припев
В гавани, далекой гавани
Пары разводят с океанов корабли.
Они из гавани уходят в плаванье,
Они идут на край земли.

МИЧМАН ДЖОН

Пал ночной туман.
Грозен океан.
Мичман Джон угрюм и озабочен.
Получив приказ:
Прибыть через час,
Мичман Джон не может быть неточен,
И, сжимая руль,
Прямо в Ливерпуль
Он ведет корабль рукою твердой.
Вглядываясь в мрак,
Закурил моряк,
Вдаль глядит уверенно и гордо.

Припев
Терпи немного,
Держи на борт.
Ясна дорога,
И близок порт.
Ты будешь первым —
Не сядь на мель.
Чем крепче нервы,
Тем ближе цель!

Так летят они,
Погасив огни,
Рассекая мощную пучину.
Вдруг ужасный гул
Судно сотряснул:
«Истребитель» налетел на мину.
Шум и гам и крик...
Джон в единый миг
Загрузил всю шлюпку экипажем.
И, блюдя закон,
Сам последний он
Вплавь пустился, напевая даже.

Припев

Бешеной волной
На берег пустой
Мичман Джон был выброшен под утро.
Там нашла его
Кэтти из Глазго,
Та, чьи зубки блещут перламутром.
Глядя ей в глаза,
Мичман Джон сказал:
«Я люблю Вас, Кэтти, словно море!»
И ему в ответ
Улыбнулась Кэт:
«Это все есть в брачном договоре!»

Припев
Терпи немного,
Держи на борт.
Ясна дорога,
И близок порт.
Ты будешь первым —
Не сядь на мель.
Чем крепче нервы,
Тем ближе цель!

* * *

В далекой солнечной и знойной Аргентине,
Где солнце южное сверкает, как опал,
Где в людях страсть пылает, как огонь в камине,
Ты никогда в подобных странах не бывал.

В огромном городе, я помню, как в тумане,
С своей прекрасною партнершею Марго
В одном большом американском ресторане
Мы танцевали аргентинское танго.

Ах, сколько счастья дать Марго мне обещала,
Вся извиваясь, как гремучая змея,
Ко мне в порывах страсти прижимаясь,
А я шептал: «Марго, Марго, Марго моя!»

Но нет, не долго мне пришлось с ней наслаждаться...
Сюда повадился ходить один брюнет:
Тайком с Марго стал взглядами встречаться,
Он был богат и хорошо одет.

И вот Марго им увлекаться стала.
Я попросил ее признаться мне во всем.
Но ничего моя Марго не отвечала —
Я как и был, так и остался ни при чем.

А он из Мексики, красивый сам собою,
И южным солнцем так и веет от него.
«Поверь, мой друг, пора расстаться нам с тобою!» —
Вот что сказала мне прекрасная Марго.

И мы расстались, но я мучался ужасно,
Не пил, не ел и по ночам совсем не спал.
И вот в один из вечеров прекрасных
Я попадаю на один шикарный бал.

И там среди мужчин, и долларов, и франков
Увидел я свою прекрасную Марго.
Я попросил ее изысканно-галантно
Протанцевать со мной последнее танго.

И вот Марго со мной, как прежде, танцевала.
И муки ада я в тот вечер испытал!
Сверкнул кинжал — Марго к ногам моим упала...
Вот чем закончился большой шикарный бал.

* * *

Они стояли на корабле у борта.
Он перед ней — с протянутой рукой.
На ней был шелк, на нем — бушлат потертый,
Но взор горел надеждой и мольбой.

Припев
А море грозное ревело и вскипало,
На скалы черные летел за валом вал,
Как будто море чьей-то жертвы ожидало.
Стальной гигант кренился и стонал.

Он говорил: «Сюда взгляните, леди,
Где над волной взлетает альбатрос,
Моя любовь нас приведет к победе,
Хоть знатны Вы, а я простой матрос».

Припев

Но на слова влюбленного матроса
С презреньем леди свой опустила взор.
Душа взметнулась в нем, как крылья альбатроса, —
И бросил леди он в бушующий простор!

Припев

А поутру, когда заря всходила,
В приморском кабаке один матрос рыдал,
Он пил свой ром среди пустых бутылок
И пьяным голосом кого-то призывал.

Припев
А море грозное ревело и вскипало,
На скалы черные летел за валом вал,
Как будто море новой жертвы ожидало.
Стальной гигант кренился и стонал.

* * *

Бог, скажи, зачем ты создал море?
Это можно было избежать.
Море, море — это наше горе.
Разве сможет кто это понять?

Припев
Сердце возьмет тоска.
Водка затуманит взор.
И невольно возникает
Откровенный разговор.

На море любовь меня не встретит,
И не радо сердце, что весна.
А в иллюминатор солнце светит.
И кому такая жизнь нужна?

Припев

Милая, ты встанешь утром рано,
Хоть немного вспомни обо мне.
Может, по причалу хожу пьяный,
Может быть, лежу уже на дне.

Припев

Бог, скажи, зачем ты создал море?
Это можно было избежать.
Море, море — это наше горе.
Разве сможет кто это понять?

Припев
Сердце возьмет тоска.
Водка затуманит взор.
И невольно возникает
Откровенный разговор.

ВСЕ РАВНО ВОЙНА

ВСЕ РАВНО ВОЙНА

Вечер. Солнце закатилось.
Чуть взошла луна.
Погулять пошла девчонка —
Все равно война.

Жарко было. Расстегнулась.
Грудь была полна.
Двадцать лет сидела дома,
А теперь — война.

Видит вдруг — идет военный:
Капитан иль старшина.
«Капитан, пойдем со мною —
Все равно война».

Капитан вздохнул, подумал,
Вспомнилась жена.
«Не ругай меня, родная, —
Все равно война».

«Капитан, ты не стесняйся.
Я ведь не больна.
Нажимай на все педали —
Все равно война».

И сначала он несмело,
А потом — сполна.
И всю ночь кровать скрипела:
Все равно война.

Утром встали и оделись.
Весела она.
«Заходи ко мне, военный, —
Все равно война».

* * *

Я Мишу встретила на клубной вечериночке —
Картина шла у нас тогда «Багдадский вор»
Глаза зеленые и желтые ботиночки
Зажгли в душе моей пылающий костер.

Была весна, цвела сирень, и пели пташечки.
Братишка с Балтики приехал погостить.
Он знал, что нравится хорошенькой Наташечке,
И не хотел такой кусочек упустить.

Кто б ни увидел эту дивную походочку,
Все говорят: какой бывалый морячок! —
Когда он шел, его качало, словно лодочку,
И этим самым он забрасывал крючок.

Что вы советы мне даете, словно маленькой,
Хоть для меня решен давно уже вопрос?
Оставьте, граждане. Ведь мы решили с маменькой,
Что моим мужем будет с Балтики матрос!

Я Мишу встретила на клубной вечериночке —
Картина шла у нас тогда «Багдадский вор»
Глаза зеленые и желтые ботиночки
Зажгли в душе моей пылающий костер.

* * *

Ты знаешь, мать, что я решил жениться.
Я много ем и очень мало сплю.
Но если сплю, такое, мама, снится!..
Давай я, мать, дровишки поколю.

Ты знаешь, мать, я скромный по натуре.
Но, соблазнясь на женскую красу,
Возьму да и женюсь на первой дуре.
Давай я, мать, водички принесу.

А вдруг возьму женюсь на самой умной.
Она заучит всю мою родню.
А мы с тобою, мать, народ нешумный.
Давай я, мать, приемник починю.

Ты знаешь, мать, что я решил жениться.
Я много ем и очень мало сплю.
Но если сплю, такое, мама, снится!..
Давай я, мать, дровишки поколю.

* * *

Раз в московском кабаке сидели.
Гришка Лавренев туда попал.
А когда по пьянке окосели,
Он нас в Фергану завербовал.

Припев
Края — далекие, поля — широкие,
Там, где от солнца дохнут рысаки.
Без вин, без курева — житья
культурного...
За что забрал, начальник? Отпусти!

Нас в вагон товарный посадили,
Пожелав счастливого пути.
Документами нас всех снабдили
А потом сказали нам «прости».

Припев

Через день прикончили мы водку,
Кончился и спирт и самогон.
И тогда вливать мы стали в глотку
Политуру и одеколон.

Припев

Мы по назначению поспели,
Пьяные мы к месту побрели.
Только зря тогда мы пропотели.
Ничего тогда мы не нашли.

Припев

Год прошел, и кончилась работа.
А мы еще не начали сезон.
И каких-то новых обормотов
На путях товарный ждет вагон.

Припев
Края — далекие, поля — широкие,
Там, где от солнца дохнут рысаки.
Без вин, без курева — житья
культурного...
За что забрал, начальник? Отпусти!

* * *

Деревья с листьев опадают — ексель-моксель, —
Должно быть, осень подошла.
Ребят всех в армию забрали — хулиганов, —
Должно быть, очередь моя.

А на столе лежит повестка — шесть на девять —
В районный райвоенкомат.
Мамаша в обморок упала — с печки на пол, —
Сестра сметану пролила.

А медицинская комиссья — в голом виде —
Смотрела спереди и в зад.
Потом, часок посовещавшись — для порядку, —
«Копейкин годен» — говорят.

Кондухтер дал свисток протяжный — очень
длинный, —
И паровозик загудел.
А я молоденький мальчишка — лет семнадцать —
На фронт германский полетел.

Вот прибыл я на фронт германский — в полвторого,
И что ж я вижу вкруг себя:
Над нами небо голубое — с облаками, —
Под нами черная земля.

Лишь только сели мы обедать — щи да кашу, —
Бежит начальник номер два (старшина).
«Ох, что ж вы, братцы-новобранцы, матерь вашу,
Жестокий бой уж начался».

Летят по небу самолеты — бонбовозы, —
Снаряды рвутся надо мной.
А я мальчонка лет семнадцать — двадцать восемь —
Лежу с оторванной ногой (а зубы рядом).

Ко мне подходит сенитарка — звать Тамарка —
«Давай я рану первяжу
И в сенитарную машину — студебекир —
С собою рядом положу (для интереса)».

И понесла меня машина — студебекир —
Через поля, через мосты.
А кровь лилась со страшной раны — прямо наземь, —
Мочила вату и бинты.

Вернусь домой под самый ужин — всем не нужен —
С одной оторванной ногой.
Жане не нужен, ох не нужен — ох не нужен, —
Зальюсь горючею слезой.

Поставлю хатку в край деревни — восемь на семь —
И стану водкой торговать.
А вы, друзья, не забывайте — Афанасий, —
Ходите водку выпивать.

* * *

Была весна, любви полна,
И на деревьях распустились все листочки.
Гляжу: она стоит одна
И нервно комкает сопливенький платочек.

А соловей среди ветвей
Над головою нежной трелью заливался.
Он всех, нахал, околдовал,
И, как и я, любви он тоже дожидался.

Я подошел и речь завел:
Мол, разрешите, дама, с вами прогуляться.
Она в ответ: «Конечно — нет!
И не мешайте соловьем мне наслаждаться».

Когда вдруг — ах! Гляжу: в кустах
Стоит огромный, преогромнейший детина,
Стоит как пень. В плечах — сажень,
В руках огромная еловая дубина.

Я поднял крик, но в тот же миг
Меня дубиной он с размаху ошарашил.
Костюм содрал, а сам сбежал,
Оставив в том, в чем родила меня мамаша.

А соловей среди ветвей
Над головой все так же трелью заливался.
Какой нахал! Он все видал
И, видно, тоже надо мною посмеялся.

К чему скрывать? Я лег в кровать,
Лежал и плакал, как ребенок после порки.
С тех пор, друзья, трель соловья
Надежней действует, чем порция касторки.

* * *

Расскажу пример судьбы дурацкой
И начну я с жизни холостяцкой.
Сами вы, конечно, посудите —
К холостому в комнату войдите.

Тапочки, галоши и ботинки,
Галстуки, манжеты и резинки,
Баночки, коробочки из жести
На полу валяются все вместе.

Сам же обитатель, как в дурмане,
Дремлет на продавленном диване.
На столе недопитый коньяк,
Под столом бутылок целый ряд.

Выбрал наконец себе я жёнку —
Очень симпатичную девчонку.
Стал держаться самых честных правил.
Крест себе на выпивке поставил.

Жёнка отдалась по мне заботам:
Голову мне мыла по субботам,
Нежила и холила, как пташку,
По утрам варила с маслом кашку.

Кончился наш месяц тот медовый,
Завела она порядок новый:
Всех друзей-товарищей отшила,
В парк гулять на шворочке водила.

Ей кино, концерты да балеты —
Всю дорогу доставай билеты.
Всё духи, помады да наряды,
А бутылки, значит, мне не надо.

Стала надувать супруга губки,
Ревновать буквально к каждой юбке
И тарелкой или ж венским стулом
Стала бить по ребрам и по скулам.

Рассказать всех бед я не сумею.
Лучше б мне петелечку на шею!
Лучше быть немытым и голодным,
Но зато счастливым и свободным.

* * *

Слышно щелканье пробок от пива.
От табачного дыма — туман.
И весь вечер в пивной так красиво
С бубенцами играет баян.

В понедельник проснулся с похмелья,
Стало пропитых денег мне жаль.
Стало жаль, что пропил в воскресенье
Память жёнкину — черную шаль.

А во вторник пошел на работу
И случайно десятку нашел.
Через эту прокляту находку
Я не помню, домой как пришел.

Что же делать мне, бедному, в среду?
Положить надо пьянству конец.
Но товарищ пришел, и к обеду
Я по новой напился, подлец.

А в четверг — поминание жёнки.
Чтоб по-людски ее помянуть,
Продал брюки — купил самогонки
И напился, чтоб легче уснуть.

А на пятницу был удивившись,
Сколько выпито было вина!
Ах, зачем я, с утра похмелившись,
Выпил горькую чару до дна!

А в субботу прогонят с работы,
Потому что неделю был пьян,
А раз так — так напьюсь и в субботу
И от горя калоши продам.

Слышно щелканье пробок от пива,
От табачного дыма — туман.
И весь вечер в пивной так красиво
С бубенцами играет баян.

* * *

Когда я маленьким еще мальчонкой был
И под столом свободно проходил,
Ко всей природе был ужасно глух и слеп,
Ходил по улице и кушал с маслом хлеб.

Однажды вышел я из дому, из ворот,
Навстречу девушка красивая идет.
Она так мило и изящно подошла,
Ко мне склонилась и хлеб с маслом отняла.

И в эту ночку мне, мальчишке, не спалось.
И в эту ночку я пролил немало слез.
И в эту ночь я вспоминал ее красу
И ковырялся нежно пальчиком в носу.

И вот я вырос, и стал совсем большой,
И снова повстречался с девой той.
Все той же прелестью горят ее глаза.
Все той же шалостью звучат ее уста.

Она так мило и изящно подошла.
Ко мне склонилась и за шею обняла.
Она растаяла, как в поле мотылек,
А с ней исчез мой из кармана кошелек.

И в эту ночку мне, парнишке, не спалось.
И в эту ночку я пролил немало слез.
И в эту ночь я проклинал ее красу
И ковырялся пальцем в жопе и в носу.

КАТЮХА

Катюха, нежное созданье,
К тебе ходил я на свиданья...
Раз горит в окошке свет,
Значит, мужа дома нет —
Счас, счас, счас, счас, счас.

Долго мы с Катюхой обнимались,
Долго зажимались, целовались.
А потом с ней на кровать
И давай роман читать.
Читал, читал, читал — не дочитал.

Однажды страшный случай приключился:
Муж с поездки рано возвратился.
Вдруг он дернул, как злодей,
Колокольчик у дверей —
Дзинь, дзинь, дзинь, дзинь, дзинь.

Катюха очень испугалась
И к нему, к дверям, помчалась.
А я, как бедный Дон-Жуан,
Из постели под диван —
Прыг, прыг, прыг, прыг, прыг.

Он меня, как Дон-Жуана,
Стал волокти из-под дивана.
Развернул он свой кулак
И меня по уху так —
Тресь, тресь, тресь, тресь, тресь.

Не помню, что там дальше было...
Катюха двери мне отворила.
По мостовой котенок мчался,
Мне казалось: кто-то гнался —
Ой! Ой! Ой! Ой! Ой!

Теперь, ребята, я вам клянуся:
К Катюхе больше я не вернуся.
А как вспомню мужа взор,
Так в ушах до этих пор:
Тресь, тресь, тресь, тресь, тресь.

В ПЕЩЕРЕ КАМЕННОЙ

В пещере каменной нашли бутылку водки.
И бык зажаренный валялся рядом с ней.

Мало!..

В пещере каменной нашли канистру водки.
Баран зажаренный валялся рядом с ней.

Мало!..

В пещере каменной нашли цистерну водки.
И гусь зажаренный валялся рядом с ней.

Мало!..

В пещере каменной нашли источник водки.
И хвост селедочный валялся рядом с ним.

Хватит!

ОТЕЛЛО

Венецианский мавр Отелло
Один домишко посещал.
Шекспир узнал про это дело
И водевильчик накатал.

Девицу звали Дездемона.
С лица — как белая луна.
На генеральские погоны,
Ох, соблазнилася она.

Папаша — дож венецианский,
Предгорсовета, так сказать,
Любил папаша сыр голландский
«Московской» белой запивать.

Любил пропеть романс цыганский.
Свой, компанейский, парень был.
Но только дож венецианский
Ужасно мавров не любил.

А не любил он их за тело,
Ведь мавр на дьявола похож.
И предложение Отелло
Для дожа — в сердце финский нож.

А у Отелло подчиненный
Был Яшка, старший лейтенант.
На горе бедной Дездемоны
Был Яшка страшный интригант.

И в их семье беда настала:
У ней платок куда-то сплыл.
Отелло вспыльчивый был малый —
Как вошь, супругу задавил.

Ох, девки, верность сохраняйте!
Смотрите дальше носа вы!
И никому не доверяйте
Свои платочки носовы!

ПЬЯНЕНЬКАЯ ПЕЧАЛЬ

Ночь тьмой окутала бульвары и парки Москвы,
А из Сокольников пьяненький тащишься ты.
Денег нет. Мыслей нет. Машины уносятся вдаль.
И, как всегда, со мной пьяненькая печаль.

Вот ты и пьяненький, идешь по бульвару один.
Эх, закурить тебе какой-нибудь даст гражданин.
Мимо проносятся, огнями сверкая, такси.
Милая девушка видит чудесные сны.

Денег не водится в карманах расклешенных брюк.
А жить так хочется без всяких забот или мук.
Денег нет. Мыслей нет. Машины уносятся вдаль.
И, как всегда, со мной пьяненькая печаль.

* * *

На острове Таити
Жил-был негр Тити-Мити,
Жил-был негр Тити-Мити,
Был черный, как сапог.
Вставал он утром рано,
Съедал он три банана
И, съевши три банана,
Ложился на песок.

У негра Тити-Мити
Была жена Раити,
Была жена Раити
И попугай Кеке.
Все жили-поживали
И горюшка не знали,
И горюшка не знали,
Валяясь на песке.

Однажды на Таити
Приехала из Сити,
Приехала из Сити
Красотка Брекеке.
В красавицу из Сити
Влюбились Тити-Мити,
Влюбились Тити-Мити
И попугай Кеке.

Супруга Тити-Мити
Решила отомстить им:
Коварным Тити-Мити,
Кеке и Брекеке.
В большой аптеке рядом
Она купила яду,
Она купила яду
И спрятала в чулке.

И вот наутро рано
Лежат, как три банана,
Лежат, как три банана,
Три трупа на песке:
Лежит негр Тити-Мити,
Красавица из Сити,
Красавица из Сити
И попугай Кеке.

СЕРЕГА-ПРОЛЕТАРИЙ

I

Служил на заводе Серега-пролетарий.
Он с детства был испытанный марксист.
Он был член месткома, он был член парткома,
А в общем — стопроцентный активист.

Евойная Манька страдала уклоном.
И слабый промеж ими был контакт:
Накрашенные губки, коленки ниже юбки,
А это, несомненно, вредный факт.

Сказал ей Серега: «Ты брось эти штучки,
Ведь ты компрометируешь меня.
Ты — вредная гада, с тобой бороться надо.
Даю на исправление три дня!»

Она ему басом: «Катись ты к своим массам!
Не буду я в твоей Ка-Пэ-Се-Се!»
А он не сдается: он будет с ней бороться,
Серега на своем лихом посте.

II

Три дня, как один, пролетели.
Сказал ей Серега вот так:
«Напрасно вы, в самом-то деле,
Рассчитываете на брак».

Маруська тогда понимает,
Что жизнь ее стала хужей,
И в сердце с размаху вонзает
Шестнадцать столовых ножей.

Мотор все пропеллеры крутит.
Москве показаться пора.
Маруське лежать в институте
Профессора Пастера.

Маруську на стол помещают
Шестнадцать дежурных врачей,
И каждый из них вынимает
Свой ножик из ейных грудей.

«Вынай не вынай — не поможет.
Не быть мне с любимым вместях.
Оставьте один только ножик
На память о милом в грудях».

Маруську везут в крематорий
И в печь ее прямо кладут.
В тоске и отчаянном горе
Серега ее тут как тут.

«Маруся, когда б ты, родная,
Открыть свои глазки могла!»
Маруська ему отвечает:
«Нельзя, я уже померла».

«Я жизнь ее всю перепортил.
За это отвечу я сам.
Насыпьте же пеплу мне в портфель
На память четыреста грамм».

* * *

Сын поварихи и лекальщика –
Я в детстве был примерным мальчиком.
Послушным сыном и отличником
Гордилась дружная семья.
Но мне, непьющему тогда еще,
Попались пьющие товарищи.
На вечеринках в их компаниях
Пропала молодость моя.

Припев
Увяли розы, умчались грезы,
И над землею день угрюмый встает.
Проходят годы, но нет исходу,
И мать-старушка слезы горькие льет.

А я всё дозы увеличивал,
Пил и простую и «столичную»,
И в дни обычные, и в праздники
Вином я жизнь свою губил.
И хоть имел я представление,
Что это есть мое падение,
Но на работу стал прогуливать
И похмеляться полюбил.

Припев

Сын поварихи и лекальщика –
Я в детстве был примерным мальчиком.
Послушным сыном и отличником
Гордилась дружная семья.
Но мне, непьющему тогда еще,
Попались пьющие товарищи.
На вечеринках в их компаниях
Пропала молодость моя.

Припев
Увяли розы, умчались грезы,
И над землею день угрюмый встает.
Проходят годы, но нет исходу,
И мать-старушка слезы горькие льет.

ВСЕ ГОВОРЯТ

Все говорят, что я ветрено гуляю,
Все говорят, что я многих люблю.
Многих я любила, всех их позабыла,
Только одного я забыть не могу.

Все говорят: кавалеров меняю,
Все говорят: одного не найду.
Любила я курского, потом — петербургского,
А уж за московского замуж пойду.

Все говорят, что я модная модистка,
Все говорят, что без выкройки шью.
Ох, не потому ль я все лантухи латаю,
Только распашонки пошить не могу.

Все говорят, что цыбарки починяю,
Все говорят, что я дорого беру.
Ушко — три копеечки, донышко — пятак,
Новая цыбарочка — четвертак.

* * *

В первые минуты
Бог создал институты,
И Адам студентом первым был.
Он ничего не делал,
Ухаживал за Евой,
И Бог его стипендии лишил.

У Адама драма,
Вызвали Адама
На расправу в Божий деканат,
И на землю прям
Сбросили Адама.
Так пошли студенты, говорят.

От Евы и Адама
Пошел народ упрямый,
Лихой, неунывающий народ.
От сессии до сессии
Живут студенты весело,
А сессия всего два раза в год.

Что за предрассудки —
Есть три раза в сутки
И ложиться в чистую кровать?!
У нас свои рассудки,
Едим один раз в сутки,
А на остальное наплевать.

Когда ж наступит лето,
Пойдем бродить по свету
В драных кедах, рваных сапогах.
Встретим мы озера,
И леса, и горы,
А рассветы встретим на ногах.

День мы прогуляли,
Ночь мы провлюблялись,
А наутро снова ни бум-бум.
Так выпьем за гулявших,
За ни черта не знавших,
За сессии сдававших наобум!

* * *

Это было под солнцем тропическим
На цедрическом знойном песке.
Жил однажды туземец лирический
С бородавкой на левой щеке.

Нацепивши на шею три галстука
И, томительный, по вечерам,
Он ходил на свидания к страусихам,
Так как прочих там не было дам.

И от встреч этих нежно-лирических
На цедрическом знойном песке
Родился страусенок комический
С бородавкой на левой щеке.

Наш туземец, неистовый в ярости,
Был финалом таким удручен,
И, боясь алиментов на старости,
Удавился на галстуках он.

Тирдарьям, тирдарьям, тирдарья-а
Эки-мэки сальпи а-ха-ха.
Эки-мэки сальпитики дровотики,
Удавился на галстуках он.

* * *

Стою я раз на стреме,
Гляжу в чужой карман.
Как вдруг ко мне подходит
Незнакомый мне граждан.

И говорит мне тихо:
«Куда бы нам пойти,
Где б могли мы лихо
Время провести?

Чтоб были там девчоночки,
Чтоб было там вино.
А сколько будет стоить —
Так это все равно».

Ему Я отвечаю:
«На Лиховке вчера
Последнюю малину
Прикрыли фраера».

А он мне говорит: «В Марселе
Есть такие кабаки!..
Такие там девчоночки,
Такие бардаки!

Там девочки танцуют голые,
Там дамы в соболях,
Лакеи носят вина,
А воры носят фрак».

И с этими словами
Незнакомый мне граждан
Отмычкой отмыкает
Свой шикарный чемодан.

Он предлагал нам деньги
И жемчугу стакан,
Чтоб мы ему передали
Советского завода план.

Последняя малина
Собралась на совет:
Советские разбойнички
Врагу сказали «Нет!».

Мы взяли этого субчика,
Отняли чемодан,
Забрали денег кучу
И жемчугу стакан.

Потом его передали
Властям НКВД.
И я его по тюрьмам
Уж не встречал нигде.

Нас власть благодарила,
Жал руку прокурор,
А после посадил нас
Под усиленный надзор.

Сижу я за решеткой,
Одну имею цель:
Эх! Как бы мне увидеть
Эту самую Марсель!

Где девочки танцуют голые,
Где дамы в соболях,
Лакеи носят вина,
А воры носят фрак.

КУПЛЕТЫ

Там на горе, покрытой маком,
Художник ставил деву... в позу,
Разрисовал ее, как розу,
Потом покрыл все это... лаком.

Стояла дева, как звезда.
У ней широкая... натура
И очень тонкая фигура,
А это, братцы, красота.

Стиль баттерфляй на водной глади
Нам демонстрируют две... девы.
Они, как будто королевы,
Рекорды бьют не денег ради.

Два футболиста, снявши бутсы,
С двумя красотками... играют.
Они их сильно развлекают,
А те от радости смеются.

Однажды утром, жизнь страхуя,
В Госстрах зашли два старых... деда.
Они ушли после обеда,
О смерти радостно толкуя.

Я не хочу вас оскорблять,
Но вы порядочная... тетя,
Скажите мне, где вы живете,
И я вас стану навещать.

Какой-то маленький вассал
Все стены замка... обошел,
Но ничего там не нашел
И только стены исписал.

У атамана Козолупа
Была огромная... сноровка,
Семизарядная винтовка
И два енотовых тулупа.

Была я раньше белошвейка
И вышивала часто гладью,
Потом пошла играть на сцену
И очень скоро стала... примой.

В универмаге наверху я
Купил сибирскую доху я,
Но дал, как видно, маху я:
Доха не греет... абсолютно.

Из боя вынесли два трупа:
Один с откушенной... рукою,
Другой с измятою косою,
С полой, разорванной до пупа.

Я ХОЧУ ТЕБЯ

Я хочу, чтоб постоянно,
В жизни и во сне,
Ты была со мною рядом,
Ты была при мне,
Чтобы каждую минуту
Сразу мог сказать:
«Я хочу тебя, мне мало,
Я хочу опять!»

Пусть соседи за стеною
И скрипит кровать,
Только б ты была со мною,
Мне на все плевать,
Только б, вставши утром рано,
Сразу мог сказать:
«Я хочу тебя, мне мало,
Я хочу опять!»

Надоела мне девчонка.
Я от ней ушел,
Отыскал кацо красивый
И к нему пришел:
«Если ты не спал с мужчиной,
Что ж, я научу —
Повернись ко мне спиною,
Ах, как я хочу!»

Пошатался я по свету,
И к врачу пришел,
И в глазах его суровый
Приговор прочел.
Я прочел, что даже, может,
В жизни никогда
Никому сказать не сможешь:
«Я хочу тебя!»

* * *

Шумит, ликует Ленинград,
Народ на улицах пестреет,
И только слышно «бога мать!»,
И солнце жарко в жопу греет.

Из ресторана вышла блядь,
Глаза ее посоловели,
Она сказала «бога мать!»
И села срать среди аллеи.

Цыганка старая поет,
Задрав подол, на тротуаре,
А молодой сидит и бьет
Огромным хуем по гитаре.

Там старый цыган, сняв штаны,
На тротуаре бьет чечетку,
А там какой-то сукин сын
Ебет свою родную тетку.

Еврей ебет собаку в глаз —
Какой позор для человека!
Грузин шурует хуем в таз,
А кто-то давится от смеха.

Ебется вошь, ебется гнида,
Ебется тетка Степанида,
Ебется северный олень,
Ебутся все, кому не лень.

* * *

Как на Невском проспекте у бара,
Где легавый свой пост охранял,
Там в углу, притаившись, на пару
Николай полупьяный стоял.

Перед ним на коленях Тамара,
Проститутка из бара была,
Она что-то ему говорила,
На глазах показалась слеза.

«Ох, не мучь меня, Коля, не мучай,
Ох, зачем же ты мучишь меня?
Знаю я, у тебя есть другая,
Все равно не гони от себя!»

«Не живите вы, девки, в деревне,
Приезжайте вы к нам в Ленинград.
Познакомьтесь сначала с ребятами:
Они вас препроводят в бардак.

В бардаке поебетесь с китайцем,
На хую он засунет бубон,
А за этот за самый бубончик
Вылетай с бардака на хуй вон.

И теперь вот сиди под забором,
С удивленьем пизду подтирай,
А она разлилась, как тарелка,
Хоть сметану на ней собирай».

* * *

Океан ворчит угрюмо,
Шумно бьет волной в борта.
По волнам несется шхуна
«Бранденбургская звезда».

Это шхуна капитана
Джо Кровавое Яйцо.
Словно жопа павиана
Капитаново лицо.

Руки — словно две дубины.
Нос повернут на восток.
Хуй, большая колбасина,
Еле влазит между ног.

Раз попалась молодуха
Лет под восемьдесят пять.
Он ударом мощным в ухо
Уложил ее в кровать.

Толстожопая скотина,
Хуй зажав промежду ног,
Оторвала половину.
Он взревел, как носорог.

Вслед раздался голос страшный —
Это старый капитан,
Увидав корабль вражий,
Благим матом заорал:

«Что вы, бляди, следом прете,
Что вы, ебанные в рот,
Поебаться не даете,
Заеби вас кашалот!»

И от этаких укоров
Всех прошиб холодный пот,
И в бардак без разговоров
Уебал весь вражий флот.

Океан ворчит угрюмо,
Шумно бьет волна в борта.
По волнам несется шхуна
«Бранденбургская звезда».

* * *

Папе сделали ботинки —
Не ботинки, а картинки! —
Папа ходит в них везде,
Лупит маму...

Папе сделали ботинки —
Не ботинки, а картинки! —
Папа ходит в них везде,
(и т. д.).

ПОПУРРИ

Во саду ли в огороде
Поймали китайца,
Положили на песок,
Вырезали...
Яблочко
На тарелочке,
А у девочки
Сломалась...
Целый день жена хлопочет,
Пирожки печет,
Поздно ночью муж приходит
И ее...

Ехал на ярмарку
Ванька Холуй
За три копейки
Показывать ху...
Художник, художник,
Художник молодой,
Нарисуй мне девушку
С разорванной пи...
Пикала гармошка,
Где-то вдалеке,
Услыхал Антошка,
Говорит жене:
«Женушка, женушка,
Ложись на кровать,
Буду под музыку
Я тебя е...»
Ехали пираты,
Веслами гребли,
Капитан с матросами
Девушек е...
Ехал на ярмарку...

ЗА ЭТО Я ЕГО ЛЮБЛЮ

Мама, я доктора люблю,
Мама, за доктора пойду:
Доктор делает аборты,
Посылает на курорты,
И за это я его люблю!

Мама, я летчика люблю,
Мама, за летчика пойду:
Летчик высоко летает,
Всем гондоны раскидает,
И за это я его люблю!

Мама, я шофера люблю,
Мама, за шофера пойду:
Шофер ездит на машине,
Сам в мазуте, хуй в бензине,
И за это я его люблю!

Мама, я повара люблю,
Мама, за повара пойду:
Повар спит, а каша дышит,
Хуй ебет — пизда не слышит,
И за это я его люблю!

Мама, я жулика люблю,
Мама, за жулика пойду:
Жулик будет воровать,
А я ментам его сдавать,
И за это я его люблю!

СЕМЕНОВНА

Ох, Семеновна,
Баба русская,
Жопа толстая,
Пизда узкая.

Ох, Семеновна,
Такая гордая,
Сиськи мягкие,
Жопа твердая.

Ох, Семеновна,
Что ж ты сделала —
Все штаны на клеш
Переделала.

Ох, сыпь, Семен,
Подсыпай, Семен,
У тебя, Семен,
Юбка-клеш, Семен.

Ох, Семен, Семен,
Тебе поют везде,
А молодой Семен
Утонул в пизде.

* * *

Сидит цыган на закате,
Суда-руда я,
Сидит цыган на закате,
Гоп суда-руда я,
Дрочит хуя на канате,
Ай-я-я!

Где ты, цыган, девок лапал,
Суда-руда я,
Где ты, цыган, девок лапал,
Гоп суда-руда я,
Где ты хуя поцарапал?
Ай-я-я!

Где, цыганка, ты ходила,
Суда-руда я,
Где, цыганка, ты ходила,
Гоп суда-руда я,
Где ты пизду развалила?
Ай-я-я!

Сидит цыган за болотом,
Суда-руда я,
Сидит цыган за болотом,
Гоп суда-руда я,
Зашивает пизду дротом,
Ай-я-я!

А другой сидит смеется,
Суда-руда я,
А другой сидит смеется,
Гоп суда-руда я,
Все равно пизда порвется,
Ай-я-я!

ДЕВКИ СПОРИЛИ

Девки спорили в трамвае:
У кого она кривая.
Оказалось, что кривая —
У водителя трамвая.

Девки спорили в квартире:
У кого она пошире.
Оказалось, что пошире —
У владелицы квартиры.

Девки спорили на даче:
У кого она лохмаче.
Оказалось, что лохмаче —
У хозяйки этой дачи.

Девки спорили на крыше:
У кого она повыше.
Оказалось, что повыше —
У хозяйки этой крыши.

Девки спорили в соборе:
У кого она поболе.
Оказалось, что поболе —
У меня во всем соборе.

* * *

Была весна,
Весна-красна,
Я вышел за город немного прогуляться.
Смотрю — она
Стоит одна
И потихоньку начинает улыбаться.

Я подошел
И речь завел:
«Вы разрешите с вами, дама, прогуляться?»
Она в ответ
Сказала: «Нет!
И не мешайте мне другого дожидаться!»

А соловей
Среди ветвей,
Мерзавец, трелью он так чудно заливался.
Все чаровал — какой нахал!
Как будто он и не любил и не влюблялся.

Она ушла.
И в лес пошла,
В кустах стояла там громадная детина.
Стоял как пень,
В плечах сажень,
В руках огромная еловая дубина.

Я поднял крик,
Но в этот миг
Дубиной он меня по черепу погладил.
Костюм содрал,
Ботинки снял,
В чем мама родила меня оставил.

А соловей
Среди ветвей,
Мерзавец, трелью он так чудно заливался.
Все чаровал — Какой нахал!
Как будто тоже под дубину он попался.

Пришел домой
Я сам не свой
И разрыдался, как ребенок после порки.
С тех пор, друзья,
Трель соловья
Так действует, как порция касторки!

Была весна,
Весна-красна,
Я вышел за город немного прогуляться.
А соловей
Среди ветвей —
Мерзавец! — трелью чудно заливался...

АЛЕШКА ЖАРИЛ НА БАЯНЕ

В одной хавире повезло блатному Ваньке —
Удачно он проворотил скачок.
Он снял пивную в самом центре Молдаванки.
Туда сходился весь блатной народ.

Припев
Алешка жарил на баяне,
Шумел, гремел посудою шалман.
В дыму табачном, словно бы в тумане,
Там танцевал одесский уркаган.

На это дело он потратил тысяч триста,
Купил закуски, пива, водки и вина.
На остальные деньги нанял баяниста,
Чтоб танцевала одесская шпана.

Припев

Как главный штырь, он занял место у прилавка
И заправлял молочной этой кухней блюд.
На кухне шпарила его подруга Клавка.
Официантом был Арошка Вундергут.

Припев

Там собирались фармазонщики и воры,
Туда ворованные вещи волокли.
Вино лилось рекой. Шпана играла в карты.
Такую там малину развели.

Припев

Устал Иван блатной крутить свое кадило.
Поставил верный самогонный аппарат.
Однако эта установка подкузьмила,
И он пошел работать прямо в комбинат.

Припев
Алешка жарил на баяне,
Шумел, гремел посудою шалман.
В дыму табачном, словно бы в тумане,
Там танцевал одесский уркаган.

* * *

Наш котик маленький на танцы собирался,
Наш котик маленький задумал погулять.
Он перед зеркалом так долго одевался,
Мечтал о том, как будет с кошкой танцевать.

В рубашке белой и во фраке с фалдами,
Из-под которых хвостик серенький торчал,
Наш котик маленький ходил пред зеркалами
И нежно лапкой рыжий усик поправлял.

Хозяйка радость удержать была не в силах —
Ее манерами он сразу покорил.
Она гостям своим с улыбкой сообщила,
Что мистер Барсик к ним на вечер прикатил.

Раскрылась дверь, и зала светом озарила.
Там танцевали, выли кошки и коты.
Хозяйка вечера всем кошечкам твердила,
Что лучше Барсика танцора не найти.

Там до утра орава эта веселилась:
Так было весело, так было хорошо!
Когда ж на танец его Мурка пригласила,
Он о женитьбе осторожно речь повел:

«Мы будем жить с тобою, Мурка, осторожно,
Мы будем жить с тобой и горюшка не знать.
Я буду, Мурка, делать черный крем сапожный,
А ты шнурками на базаре торговать».

* * *

Поезд мчался на восток.
Искры гасли на ветру.
А в вагоне кто-то пел:
«Я чешу, чешу ногу,
Я чешу, чешу ногу,
Я чешу, чешу ногу».

Вот устроился я спать,
Но уснуть я не могу.
В голове моей опять:
«Я чешу, чешу ногу,
Я чешу, чешу ногу,
Я чешу, чешу ногу».

Сладко спали мы в купе.
Паровоз кричал: «Угу!»
А вагоны все поют:
«Я чешу, чешу ногу,
Я чешу, чешу ногу,
Я чешу, чешу ногу».

Вот проснулся утром я,
Но обедать не могу.
В ресторане все поют:
«Я чешу, чешу ногу,
Я чешу, чешу ногу,
Я чешу, чешу ногу».

Вот приехал я домой,
Но работать не могу.
Мне все в городе поют:
«Я чешу, чешу ногу,
Я чешу, чешу ногу,
Я чешу, чешу ногу».
Я так больше не могу.

ПЕСЕНКА О КЛОПАХ

Друзей так много в этом мире.
Для друга я на все готов.
Живет, живет в моей квартире
Семейство рыженьких клопов.

Знаком мне с детства каждый клопик.
И всю их дружную семью
По цвету глаз и острой попе
Издалека я узнаю.

Я договорчик сепаратный
Сумел с клопами заключить.
И нашей дружбы, столь приятной,
«Дезинсекталем» не разлить.

Но как-то утром в полвосьмого
Один в постели, в полутьме
Я своего клопа родного
Размазал пальцем по стене.

С тех пор клопы — ой-ой-ой-ой! — лютуют,
Кипит их весь клопиный род.
И даже черненьких ловлю я
Клопов тропических широт.

Клопов так много в этом мире,
И каждый съесть меня готов.
И только в ванной и сортире
Я отдыхаю от клопов.

ХОЧУ МУЖА

Хочу мужа, хочу мужа,
Хочу мужа я —
Принца, герцога, барона
Или короля.
А без мужа — злая стужа
Будет жизнь моя.
Хочу мужа, хочу мужа,
Хочу мужа я.

Пусть он черный, как ворона.
Вымазан углем.
У меня б носил корону —
Был бы королем.

Пусть он рыжий, конопатый —
Это ни при чем.
Лишь бы он носил зарплату —
Был бы королем.

Хочу мужа, хочу мужа,
Хочу мужа я —
Принца, герцога, барона
Или короля.
А без мужа — злая стужа
Будет жизнь моя.
Хочу мужа, хочу мужа,
Хочу мужа я.

Мужики за мной стреляли,
Принимали яд.
Сорок тысяч отравлялись
И в земле лежат.

Остальные, что остались,
Жили бок о бок.
Только ночью танцевали
Бесшабашный боп.

Хочу мужа, хочу мужа,
Хочу мужа я —
Принца, герцога, барона
Или короля.
А без мужа — злая стужа
Будет жизнь моя.
Хочу мужа, хочу мужа,
Хочу мужа я.

МОНАХ ВЕСЕЛЫЙ

На свете жил монах веселый,
Любил он водку и вино.
Но не любил он труд тяжелый,
И к девкам лазил он в окно.
Швырял деньгами он с размаха.
Он много пил, много гулял.
Но если спросите монаха,
Он неизменно повторял:

— Так я ж не пью!
— Врешь, пьешь!
— Ей-богу, нет!
— Врешь, пьешь!
Так наливай бокал полнее.
Монахи тоже пьют вино,
Оно на радость им дано.
Вино, шипучее вино, —
Оно на радость нам дано.

Но вот пришла и смерть лихая...
Монах ничуть не огорчен,
И, в путь-дорожку собираясь,
Берет с собой пол-литра он.
Монах стучится в двери рая.
Апостол Петр ему в ответ:
— Куда ты лезешь, рожа испитая?
Здесь проходимцам места нет!

— Так я ж не пью!
— Врешь, пьешь!
— Ей-богу, нет!
— Врешь, пьешь!
Так наливай бокал полнее.

Монахи тоже пьют вино —
Оно на радость им дано.
Вино, шипучее вино, —
Оно на радость нам дано.

* * *

Папка мой давно в командировке,
И не скоро возвратится он.
Каждый день приходит дядька Вовка,
Мамке он принес одеколон.

Мамка моя стала нехорошей,
Перестала куклы покупать,
Потому что к мамке каждый вечер
Дядька Вовка ходит ночевать.

И как только вечер наступает,
Мамка меня рано ложит спать,
Комнату на ключик закрывает,
Не велит с кроватки мне вставать.

Я таким не буду, как мой папка,
И женюсь я лет под сорок пять.
А жене своей скажу я строго:
«Дядьку Вовку в дом к нам не пускать».

* * *

Мы долго шлялись по лесным дорогам,
Хоть время пролетело, ну и пусть.
Мне хочется пожить с тобой еще немного —
И тут хоть удавись! Но я не удавлюсь.

Нигде я не встречал такого взгляда.
И в чувствах самых пламенных клянусь.
Мне от твоей любви совсем немного надо —
И тут хоть удавись! Но я не удавлюсь.

С тобою не хилять мне по Бродвею.
Так лучше переулком я пройдусь.
Я о твоей любви совсем уж не жалею —
И тут хоть удавись! Но я не удавлюсь.

ТЕТЯ ШУРА

В нашем доме, в нашем доме теть Шура —
Очень видная фигура.
И все соседи в доме говорят,
Что тетя Шура просто клад.

Теть Шура, теть Шура, теть Шура —
Вот такая вот фигура.
И все соседи с чувством говорят,
Что тетя Шура просто клад.

Как-то раз, да как-то раз сосед наш сдуру
Забрался на тетю Шуру.
Но изменился вскоре он с лица,
Когда закапало с конца.

Теть Шура, теть Шура, теть Шура —
Вот такая вот профура.
И все соседи с чувством говорят,
Что тетя Шура просто блядь.

* * *

Эх, кабы в Африку! Хотя бы в тропики.
Там, где слоны и антилопы гну,
Где готтентотики метают дротики,
Хотя и любят они мир, а не войну.

Я б жил с бушменами, жил с готтентотами,
Не знал бы горя и не ведал бы забот.
И не закусывал бы водку шпротами
И людоедом стал бы ровно через год.

Припев
Вау-ва! Все к чертям!
Осточертело шататься по блядям!
Встретить бы нам
Людоедочку из племени ням-ням!
Вау-ва! Все к чертям!
Была бы водка, а закуски хватит нам,
Вмазать бы нам
С людоедочкой из племени ням-ням!

Там все веселые, танцуют голые.
Там поклоняются деревьям и кустам.
Там крокодильчики шныряют в Нильчике
И прячется в ветвях орангутанг.

Там под бананами да ананасами
Я бы костер тропический разжег
И с людоедочкой — красоткой Эллочкой —
Сплясал священный танец буги или рок.

Припев
Вау-ва! Все к чертям!
Осточертело шататься по блядям!
Встретить бы нам

Людоедочку из племени ням-ням!
Вау-ва! Все к чертям!
Была бы водка, а закуски хватит нам,
Вмазать бы нам
С людоедочкой из племени ням-ням!

* * *

Это было в парке летом над рекой:
Познакомился я с девушкой одной.
Губки бантиком, а глазки — два огня.
Сердце сразу защемило у меня.

Эта девушка красива так была.
Проводить ее до дому позвала.
Я не в силах был красотке отказать
И пошел ее до дому провожать.

Ночка темная, ну просто глаз коли,
Незнакомою мы улицею шли.
В незнакомый переулок завела
И три раза громко свистнула она.

«Что за дикий свист?» — красотку я спросил,
Но вопрос мой слишком поздно задан был.
В темноте мне кто-то съездил по зубам,
Пиджачишко с меня новенький содрал.

На прощанье говорит она: «Друг мой,
Ты проваливай без шухера домой».
Я летел быстрее пули из ружья.
Все прохожие глядели на меня.

Вам, ребята, я даю совет сейчас:
Бойтесь девок провожать вы в поздний час,
А проводишь — тогда жалобно не вой:
Прибежишь домой раздетый и босой.

Я БЫЛ БАТАЛЬОННЫЙ РАЗВЕДЧИК

Я бил его в белые груди,
Срывал на груди ордена.
Ох, люди, ох, русские люди,
Родная моя сторона!

Я был батальонный разведчик,
А он писаришка штабной.
Я был за Россию ответчик,
А он спал с моею женой.

Ах, Клава, любимая Клава,
Неужто судьбой суждено,
Чтоб ты променяла, шалава,
Меня на такое говно.

Меня — на такую скотину!
Да я бы срать рядом не стал!
Ведь я от Москвы до Берлина
По трупам фашистским шагал!

Шагал, а потом в лазарете
На койке больничной лежал.
И плакали сестры, как дети,
Пинцет у хирурга дрожал.

Дрожал и сосед мой рубака —
Полковник и дважды Герой.
Он плакал, закрывшись рубахой,
Скупою слезой фронтовой.

Скупою слезой фронтовою
Гвардейский рыдал батальон,
Когда я геройской Звездою
От маршала был награжден.

Потом мне вручили протезы
И быстро отправили в тыл.
Красивые крупные слезы
На литер кондуктор пролил.

Пролил, ну а после, паскудник,
С меня он содрал четвертак.
Ох, люди, ох, русские люди,
Ох, люди, ох, мать вашу так!

К жене, словно вихрь, я ворвался,
И Клавочку стал я лобзать.
Я телом жены наслаждался.
Протез положил под кровать.

Болит мой осколок железа,
И давит пузырь мочевой.
Полез под кровать за протезом,
А там писаришка штабной.

Я бил его в белые груди,
Срывал на груди ордена.
Ох, люди, ох, русские люди,
Родная моя сторона!

* * *

Был нам отдан приказ
Лететь в Корею.
Это значит — на смерть
Послали нас.
Бокал шампанского и джаз
Нам скрасят беды —
Вот один только путь,
Вот один только путь
Нам до победы.

Так проходит вся жизнь
В сплошном дурмане,
В сигаретном дыму,
В угаре пьяном.
Тоскует пьяный саксофон,
Рыдают скрипки,
В сигаретном дыму,
В сигаретном дыму
Плывут улыбки.

Кокаин и вино
Вас погубили,
Никогда никого
Мы не любили.
Есть только этот пьяный бред
И сакса звуки,
И в табачном дыму,
И в табачном дыму
Нас манят руки.

Так проходит вся жизнь
В сплошном дурмане,
В сигаретном дыму,
В угаре пьяном.

Тоскуй же, сакс, скорби, тромбон,
И плачьте, трубы!
Смерть нас тянет к себе,
Смерть нас тянет к себе,
И тянет грубо.
Был нам отдан приказ
Лететь в Корею.
Это значит — на смерть
Послали нас.
Уж лучше сразу пулю в лоб —
И крышка.
Но ведь смерть не страшна,
Но ведь смерть не страшна —
В ней передышка.

МАДАМ БОНЖА

Я вам, ребята, расскажу,
Как я любил мадам Бонжу.
Мадам Бонжа, мадам Бонжа
Была ужасно хороша.

Когда придешь к мадам Бонже,
Она встречает в неглиже.
А я бросаюсь на Бонжу,
С нее срываю неглижу.

Но появился тут Луи,
Совсем разбил мечты мои.
Она, связавшись с тем Луем,
Совсем забыла о моем.

Мадам Бонжа, мадам Бонжа,
Вы — негодяйка и ханжа!
И вот теперь страдаю я
Из-за бонжового Луя.

* * *

Глухо лаяли собаки
В затихающую даль.
Я явился к вам во фраке,
Элегантный как рояль.

Вы лежали на диване
Двадцати неполных лет.
Молча я сжимал в кармане
Леденящий пистолет.

Пистолет был кверху дулом —
Из кармана мог стрелять.
Я стоял и думал, думал:
Убивать — не убивать.

Но от сытости и лени
Превозмочь себя не мог.
Вы упали на колени
У моих красивых ног.

На коленях вы стояли
У моих красивых ног
И безумно целовали
Мой начищенный сапог.

Выстрел был, сверкнуло пламя.
Ничего уже не жаль.
Я лежал к дверям ногами,
Элегантный как рояль.

* * *

Расцвела сирень в моем садочке.
Ты пришла в сиреневом платочке.
Ты пришла, и я пришел —
И тебе и мине хорошо.

Я тебя в сиреневом платочке
Целовал в сиреневые щечки.
Тучка шла, и дождик шел —
И тебе и мине хорошо.

Отцвела сирень в моем садочке.
Ты ушла в сиреневом платочке.
Ты ушла, и я ушел —
И тебе и мине хорошо.

Расцвела сирень в садочке снова.
Ты ушла, нашла себе другого.
Ты нашла, и я нашел —
И тебе и мине хорошо.

У тебя в сиреневом садочке
Родилась сиреневая дочка.
Тучка шла, и дождик шел —
И тебе и мине хорошо.

* * *

Поспели вишни в саду у дяди Вани,
У дяди Вани поспели вишни.
А дядя Ваня с тетей Груней нынче в бане.
А мы под вечер погулять как будто вышли.

Припев
А ты, Григорий, не ругайся,
Ты, Петька, не кричи.
А ты, с кошелками, не лезь поперед всех.
Поспели вишни в саду у дяди Вани.
А вместо вишен теперь веселый смех.

«Ребята, главное — спокойствие и тише,
И не заметят, не, не заметят.
А как заметят, так мы воздухом здесь дышим», —
Сказал с кошелкою соседский парень Петька.

Припев

А ну-ка, Петька, давай скорее кепку.
А он черешню в рубаху сыпал.
Ох, видно, Витька, перегнул ты слишком ветку
И вместе с вишнями сейчас в осадок выпал.

Припев

Пусть дядя Ваня купает тетю Груню
В колхозной бане, отличной бане.
Мы тете Груне все «спасибо» скажем дружно
И дяде Ване, уж конечно, дяде Ване.

Припев
А ты, Григорий, не ругайся,
Ты, Петька, не кричи.
А ты, с кошелками, не лезь поперед всех.
Поспели вишни в саду у дяди Вани.
А вместо вишен теперь веселый смех.

МАНЬКА

Как-то по проспекту
С Манькой я гулял.
Фонарик в полсвета
Дорожку освещал.
И чтоб было весело
С Манькой нам идти,
В кабачок Печерского
Решили мы зайти.

Захожу в пивнушку,
Сажуся я за стол.
И кидаю кепку
Прямо я на пол.
Спрашиваю Маньку:
«Что ты будешь пить?»
А она наяривает:
«Голова болит».

Я ж тебя не спрашиваю,
Что в тебя болит.
Я же тебя спрашиваю,
Что ты будешь пить:
Пельзенское пиво,
Самогон, вино,
Душистую фиалку
Али ничего?

Выпили мы пиво,
А потом — по сто.
И заговорили
Про это и про то.
А когда мне пельзень
В голову вступил,
Я о нежных чуйствах
С ней заговорил.

Дура, Манька, дура,
Чего ж ты еще ждешь?
Лучше в мире парня,
Право, не найдешь!
Али я не весел,
Али не красив,
Аль тебе не нравится
Мой аккредитив?

Ну и черт с тобою!
Люби сама себя.
Я найду другую:
Плевал я на тебя!
Кровь во мне остыла.
Я сейчас пойду
И на Дерибасовской
Дурочку найду!

* * *

Надену я черную шляпу,
Поеду я в город Анапу
И выйду на берег морской
С своей непонятной тоской.

Я сяду на пляж, разомлею,
О жизни своей пожалею.
И жизнь до конца просижу
На этом соленом пляжу.

Волна будет мчать за волною,
Беседовать тихо со мною,
Тереться о берег морской
С своей непонятной тоской.

Не раз в своей жизни невзрачной
Хотел я под поездом дачным
Решить наболевший вопрос
С улыбкою из-под колес.

В тебе, о морская пучина,
Погибнет роскошный мужчина,
Который сидел на песке
В своей непонятной тоске.

И каждый, увидевши гроб,
Поймет, что страдалец утоп:
Он долго сидел на песке
В своей непонятной тоске.

Останется черная шляпа,
Останется город Анапа.
Останется берег морской
С своей непонятной тоской.

БЕЛОЧКА

Белочка в лесу одна жила.
Девочкою белочка была.
Зайчик как-то лесом пробегал
И покой у белочки украл.

Загрустила белочка тогда,
Места не находит, нету сна.
Ушки есть у белочки и хвост.
В лапках был мальчишка — серый крот.

Зайка что-то много обещал,
Но куда-то вскоре запропал.
И скучает белочка одна.
Не вдова она и не жена.

Бог, однако, белку не забыл,
Он бельчонка рыжей подарил.
Но туманно сделалось в лесу:
Алиментов белке не несут.

Где же оказался наш косой?
По лесу гуляет — холостой.
У него любовь давно прошла.
Белка ему больше не нужна.

Белочка в лесу одна жила.
Девочкою белочка была.
Зайчик как-то лесом пробегал
И покой у белочки украл.

МОЯ КРАСАВИЦА

Красавица моя
Красива, как свинья,
Но все же мне она милее всех.
Танцует как чурбан,
Поет как барабан,
Но обеспечен ей всегда успех.
Моя красавица
Всем очень нравится
Походкой нежною, как у слона.
Когда она идет,
Сопит, как бегемот,
И вечно в бочку с пивом влюблена.

Не попадайся ей,
Беги от ней скорей,
Ведь ласкова она, как тот верблюд.
Обнимет лишь слегка,
Все кости, как труха,
Рассыплются, но я ее люблю.
У ней походочка
Как в море лодочка
Такая ровная, как от вина.
А захохочет вдруг —
Запляшет все вокруг,
Особенно когда она пьяна.

А сердится когда,
То кажется — вода
Давно уже на противне шипит.
Глаза у ней горят,
Как те два фонаря,
Огонь в которых вечно не горит:
Один поломанный,

Заткнут соломою,
Другой фанерою забит давно.
Красавица моя
Красива, как свинья,
Но всех она милее все равно!

* * *

Ты болная, я болной,
Приходи ко мне домой,
Будем вместе аспирин глотать.
Если это не поможет,
Доктор нас с тобой положит
На постельку рядышком поспать.

Ты думаешь: тебя люблю,
Жену брошу — тебя возьму,
Вай, ты ошибаешься.
Вот почему я хлопочу,
Адин поцелуй я хочу,
Дорогая, не обижу я.

У нас в Баку есть метро,
А ишак у нас давно.
Вай, как мне хорошо!
Куда хочешь — привезет,
Куда хочешь — отвезет,
Дорогая, вот тебе метро!

Жена едет на такси,
Муж на «скорой помощи».
Вай, как мне хорошо!
Жена гостя принимает,
Муж головой дверь ломает,
Дай, доктор, порошок!

Утром рано я встаю
И себя не узнаю,
От похмелья голова болит.
Вот почему я хлопочу,
Адин поцелуй я хочу,
Дорогая, приходи лечить!

КОЛЕНКАМИ НАЗАД

На Муромской дороженьке,
Всегда чему-то рад,
Сидел кузнечик маленький —
Коленками назад.

Нашел себе подругу он.
Девчонка — просто клад,
Такая же зеленая —
Коленками назад.

Ходил по ресторанам он,
Пил водку, лимонад,
Все время проводил он с ней —
Коленками назад.

Сыграли они свадебку.
Все люди говорят,
Что гости расползалися
Коленками назад.

Хоть дело это прошлое,
Но люди говорят,
Что дети их рождаются
Коленками назад.

На Муромской дороженьке,
Всегда чему-то рад,
Сидел кузнечик маленький —
Коленками назад.

* * *

Ты ножкой двинула лишь на вершок,
Какао вылила ко мне в мешок.

Припев
Связал нас черт с тобой, связал нас черт с тобой,
Связал нас черт с тобой веревочкой одной.

Сидели мы с тобой на леднике.
Какао хлюпало в моем мешке.

Припев

Ты камень сбросила да с высоты.
Разбила голову и сердце ты.

Припев

Связался я с тобой, теперь боюсь.
Боюсь, теперь с тобой не развяжусь.

Припев

Ты по карнизу шла — я страховал.
Ты загремела вниз, а я сказал:

«Лети же, черт с тобой, лети же, черт с тобой,
Связал нас черт с тобой веревочкой одной».

* * *

Настроил гитару на еб твою мать,
Пошел по бульвару блядей собирать.

Иду по бульвару, гитара звенит.
А Машка-блядюга за мною бежит.

Пошел я с блядюгой и лег на кровать.
Наутро проснулся... ох, еб твою мать!

И яйца опухли, и хуй покраснел,
И доктор на ухо мне что-то пиздел.

О бедный, несчастный, пропащий холуй,
Придется отрезать твой собственный хуй.

Лежу я в больнице, гляжу в потолок.
А доктор на блюдце мой хуй уволок.

Иду по бульвару — там бляди сидят
И хуй мой с редиской и хлебом едят.

* * *

Встретил я Тамарочку,
Купил гондонов парочку,
А хуй вскочил, как вжаренный бычок.
Я взял ее за жопу,
Словно антилопу,
И на еблю в погреб поволок.

Солнышко садилося,
Тамарочка ложилася.
Закрывались карие глаза.
Лопались гондончики,
Трещали панталончики,
И по жопке молофья текла.

Очнулася во мраке.
Четыре хуя в сраке.
И ржавая копеечка под ней.
За эти три копейки
Вся жопа в молофейке
И фетровая шляпка вся в говне.

ТУРОК

Зашла на склад игрушек —
Забавных побрякушек
Весеннею порой я как-то раз.
Из тысячи фигурок
Понравился мне турок.
Глаза его сверкали как алмаз.

Я наглядеться не могу на бравый вид.
Как будто турок мне с улыбкой говорит:
«Разрешите, мадам, заменить мужа вам,
Если муж ваш уехал по делам.
Без мужа жить, без мужа жить — к чему, мадам?
А с мужем жить, а с мужем жить — один обман.
Так разрешите, мадам, заменить мужа вам,
Если муж ваш уехал по делам!»

При солнечной погоде
В туристском теплоходе
Круиз я совершала на Кавказ.
И надо же случиться —
Вдруг турок появился.
Глаза его сверкали как алмаз.

Я наглядеться не могу на бравый вид,
Когда мне турок, улыбаясь, говорит:
«Разрешите, мадам, заменить мужа вам,
Если муж ваш уехал по делам.
Без мужа жить, без мужа жить — к чему, мадам?
А с мужем жить, а с мужем жить — один обман.
Так разрешите, мадам, заменить мужа вам,
Если муж ваш уехал по делам!»

Скрывать от вас не стану,
К турецкому султану

Попала я наложницей в гарем.
Нас было полтораста.
Меня ласкал нечасто,
А вскоре позабыл меня совсем.

С тех пор глядеть я не могу на бравый вид,
Когда мне турок, улыбаясь, говорит:
«Разрешите, мадам, заменить мужа вам,
Если муж ваш уехал по делам.
Без мужа жить, без мужа жить — к чему, мадам?
А с мужем жить, а с мужем жить — один обман.
Так разрешите, мадам, заменить мужа вам,
Если муж ваш уехал по делам!»

ЛЕЗГИНКА

Раз в Калининском саду
Музыка игрался.
Симпатичный барышен
Туды-сюды шлялся.

Адин барышен проходит,
Такой барышен карош.
Комплимент ей фраер сыплет,
Во рту держит папирос.

Барышен, барышен,
Какой ты красивый:
Половина морда красный,
Половина — синий!

Как увидел первый раз,
Начинал влюбляться.
Как увидел второй раз,
Начинал стреляться.

Первый раз стреляться стал —
Попадала в тетка.
Тетка бешено орал
И порвала глотка.

Второй раз стреляться стал —
Попадала в брата:
Пробивала у него
Правая лопата.

Если твой мой не полюбит,
Мой по речка поплывет.
Если твой мой не полюбит,
Мой, как рыбка, заклюет.

А когда его поймает
Какой-нибудь рыболов,
То тогда усе узнают,
Что погиб он за любов.

Тут комиссий приезжает,
Симпатичный, молодой,
Кишки-мишки вынимает,
На песок кладет речной.

Мимо пташка пролетает,
На моё кишка плюет.
За горами, за лесами
Красный солнышко встает.

* * *

На пароходе из Анапы
Морем я плыла.
Погода чудная была —
Вдруг буря поднялась.
Но капитан приятный был —
Меня в каюту пригласил.
Когда остались тет-а-тет,
Взяла его за пест.

Припев
Я — Шура, ребенок нежный,
Я до пяти могу считать.
Я — Шура, ребенок нервный.
Один, два, три, четыре, пять.
Все мужчины меня знают,
В кабинеты приглашают.
Мне фигура позволяет
До пяти считать.

Кидает буря вверх и вниз.
Я у его колен.
Пиджак до корочек провис,
Чтоб непонятно всем.
На стуки в дверь, на крик «беда!»
Он всем в ответ: «Пустяк!
Уж если нам на дно судьба,
То, значит, будет так!»

Припев

Успели мы с ним лечь в постель —
Мне, в общем, наплевать.
Но вскоре сели мы на мель —
Пора нам вылезать.

Тогда сказала я ему:
«Когда прийти опять?
Ведь нам осталось досчитать:
Два, три, четыре, пять».

Припев
Я — Шура, ребенок нежный,
Я до пяти могу считать.
Я — Шура, ребенок нервный.
Один, два, три, четыре, пять.
Все мужчины меня знают,
В кабинеты приглашают.
Мне фигура позволяет
До пяти считать.

* * *

В одном небольшом городишке
Коломбина с детями жила.
До шестнадцати лет не гуляла,
А потом хулигана нашла.

Хулигана я нежно любила
И спала у него на груди.
Как не вижу — безумно тоскую,
Как увижу — боюсь подойти.

По ступенькам все ниже шагала.
До последней ступеньки дошла.
До шестнадцати лет не гуляла,
А потом хулигана нашла.

* * *

Раз глядел я между кралечке в разрез —
Я имел надежду, а теперь я — без.

Припев
Ох, какая драма! Пиковая дама
Жизнь мне всю испортила мою.
И теперь я бедный, и худой, и бледный,
Здесь, на Дерибасовской, пою.

Мальчики, на девочек не кидайте глаз:
До копейки денежек вытащат из вас!

Припев

Дамочка, взгляните: я у ваших ног!
Впрочем, извините — вот вам кошелек.

Припев

Пиковая дама отшумит давно.
Говорила мама: не ходи в кино.

Припев

Если бы послушал бы мамочку малец,
Он тогда б не кушал бы этот баландес.

Припев

Девочки на воле — я сижу в тюрьме.
Но мечтаю вскоре видеть их ... во сне.

Припев

Вот и все исходы, и последний шмон.
Выйду на свободу — выжатый лимон.

Припев

Раз глядел я между кралечке в разрез —
Я имел надежду, а теперь я — без.

Припев
Ох, какая драма! Пиковая дама
Жизнь мне всю испортила мою.
И теперь я бедный, и худой, и бледный,
Здесь, на Дерибасовской, пою.

* * *

Сегодня праздник в доме дяди Зуя.
Хозяин нынче ласковый, как кот:
Маруську — дочь свою родную —
За Ваську замуж отдает.

Маруська — баба в теле, по натуре,
Ни дать ни взять красавица собой —
Сидела в розовом ажуре,
Уставив в Ваську глаз косой.

А Васька — плут с разбитою губою —
Сидел, качал больною головой:
С утра хватил бедняга вдвое
И к свадьбе был совсем плохой.

К обеду стали гости собираться.
Стал воздух тяжелее топора.
Пришла Заикалка Параська.
Пришли отпетых два вора.

Пришли две свахи, как селедки тощих,
И бабушка, что делала аборт.
Пришел и Яшка-фармазонщик,
По прозвищу Корявый Черт.

Но тут, веселья шум перебивая,
Вбежал пацан к собранию тому:
«Наташка в кожанке, Хромая,
Идет с отрядом ГПУ!»

Все гости как-то сразу осовели,
И вовсе опупел наш дядя Зуй:
Не пили гости и не ели,
А дядя Зуй торчал, как буй.

ВСЕ БУДЕТ ХОРОШО

Вы скажете: бывают в жизни шутки,
Поглаживая бороду свою...
Но тихому аидише-малютке
Пока еще живется как в раю.
Пока ему совсем еще не худо,
А даже и совсем наоборот.
И папа, обалдевши от Талмуда,
Ему такую песенку поет:

Припев
«Все будет хорошо. К чему такие спешки?
Все будет хорошо. И в дамки выйдут пешки.
И будет шум и гам. И будет счет деньгам.
И дождички пойдут по четвергам».

Но все растет на этом белом свете.
И вот уже в компании друзей
Все чаще вспоминают наши дети,
Что нам давно пора «ауфвидерзейн».
И вот уже загнал папаша где-то
Подтяжки, и гамаши, и костюм,
Ведь Моне надо шляпу из вельвета —
Влюбился Монька в Сару Розенблюм.

Припев

Вы знаете, что значит пожениться.
Такие получаются дела.
Но почему-то вместо единицы
Она ему двойняшек принесла.
Теперь уже ни чихни, ни засмейся —
Шипит она, холера, как сифон.
И Монька, ухватив себя за пейсы,
Заводит потихоньку патефон.

Припев

Пятнадцать лет он жил на честном слове,
Худее, чем портняжная игла,
Но старость, как погромщик в Кишиневе,
Ударила его из-за угла.
И вот пошли различные хворобы:
Печенка, селезенка, ишиас...
Лекарство все равно не помогло бы,
А песня помогает всякий раз.

Припев

Но таки да: случаются удачи!
И вот уже последний добрый путь:
Две старые ободранные клячи
Везут его немножко отдохнуть.
Всегда переживает нас привычка.
И может быть, наверно, потому
Воробышек — малюсенькая птичка —
Чирикает на кладбище ему:

Припев
«Все будет хорошо. К чему такие спешки?
Все будет хорошо. И в дамки выйдут пешки.
И будет шум и гам. И будет счет деньгам.
И дождички пойдут по четвергам».

* * *

Заявились к тетушке
Мы на день рождения —
Жареное, пареное,
Разные варения...
Тетушка, как водится,
Каждый год рождается,
Вся родня у тетушки
Выпить собирается.

Припев
Улица, улица,
Улица широкая,
До чего ж ты, улица,
Стала кривобокая!

Шли сначала рюмочки,
А потом стаканчики,
А потом в глазах моих
Заплясали зайчики.
Я обнял жену свою
За широку талию,
А потом за ножку взял
Тетушку Наталию.

Припев

А как дядька драться стал,
Замахнулся палкою,
А потом, не помню я,
Кто мне врезал скалкою.
Тут все завертелося,
Тут все закружилося,
И уже не помню я,
Что со мной случилося.

Припев

Утром встал я раньше всех,
Морда вся раскрашена,
Фонари навешаны —
Стала очень страшная.
Весь пиджак изодранный,
На нем жир от курицы...
Один туфель на столе,
А другой на улице.

Припев
Улица, улица,
Улица широкая,
До чего ж ты, улица,
Стала кривобокая!

* * *

Расскажу я вам, ребята,
Про семейный свой разлад
И о том, что был когда-то
Я, как водится, женат.
Но судьба ужасно строго
Отнеслась к моей жене:
Проболев совсем немного,
Умерла, оставив мне:
20 метров крепдешина,
Пудру, крем, одеколон,
2 бидона керосина,
Ленинградский патефон,
Белой шерсти полушалок,
Фирмы Мозера часы,
2 атласных одеяла
И спортивные трусы.
Как-то, горе разгоняя,
Был я в парке при луне.
Вижу: дева молодая
Улыбнулась нежно мне.
Я, конечно, моментально
Не замедлил к ней подсесть
И, поверьте, машинально
Рассказал, что в доме есть:
20 метров крепдешина,
Пудра, крем, одеколон,
2 бидона керосина,
Ленинградский патефон,
Белой шерсти полушалок,
Фирмы Мозера часы,
2 атласных одеяла
И спортивные трусы.
Дальше проще было дело.
Все пошло само собой.

Я ее довольно смело
Пригласил к себе домой.
Позабросив все заботы,
Славно ночь мы провели,
А когда пришел с работы,
Вместе с ней, гляжу, ушли:
20 метров крепдешина,
Пудра, крем, одеколон,
2 бидона керосина,
Ленинградский патефон,
Белой шерсти полушалок,
Фирмы Мозера часы,
2 атласных одеяла
И спортивные трусы.

Вам советую, ребята,
Аккуратней в чувствах быть.
Чтоб не грянула расплата,
Выбирать, кого любить.
Вот тогда у вас, ребята,
Будет счастье и уют,
Будут деньги и достаток,
И из дома не уйдут:
20 метров крепдешина,
Пудра, крем, одеколон,
2 бидона керосина,
Ленинградский патефон,
Белой шерсти полушалок,
Фирмы Мозера часы,
2 атласных одеяла
И спортивные трусы.

* * *

В тени густых акаций
На берегу морском
Сидел старик Герасим
И чистил хуй песком.

К нему пришла Елена
И села на песок.
С Герасимова члена
На землю капнул сок.

«Елена, вот бы было
Слияние сердец:
Ты стань моей кобылой —
Я буду жеребец».

Кто просит Христа ради —
Ну как тому не дать?!
Елена стала раком —
Он стал ее ебать.

Когда уже смеркалось,
Елена шла домой,
С Герасимом прощалась
Разорванной пиздой.

* * *

Однажды было дело:
С улыбкой на лице
Блоха фокстрот запела
У деда на яйце.

Она все распевала,
Свистала молодцом,
Чечетку выбивала
У деда над яйцом.

Старик, кляня Европу,
Поковырял в паху
И вытащил за жопу
Веселую блоху.

Однажды было дело:
С улыбкой на лице
Блоха фокстрот запела
У деда на яйце.

* * *

Через село проходит речка,
А через речку — длинный мост,
А на мосту стоит овечка,
А у нее короткий хвост.

Разволновалась как-то речка,
И провалился длинный мост,
И утонула там овечка,
А вместе с ней короткий хвост.

Когда бы не было бы речки,
Тогда бы не было б моста,
Тогда бы не было б овечки,
Тогда бы не было б хвоста.

БРАТИКИ-АРМЯНЕ

Ах вы мои братики-армяне!
Расскажу я вам адин рассказ,
Как ходил мой друг из Еревана —
У адин грузин он выбил глаз.

Девушка такой, как райский птичка, —
Он душа армянская пленил:
За его красивый белый личко
Сердце и душа свое сгубил.

Раз приходит он на танцплощадка.
Девушка вся в слезках увидал.
Положил рука ей на лопатка
И такое слово ей сказал:

«Кто тебя, душа моя, обидел?
Он скандал, конечно, не предвидел.
Он болван, хоть я его не знает.
Поверь, душа армянский ребра посчитает!»

Адин грузин красавица обидел.
Такой скандал большой он не предвидел.
Теперь мой друг на нарах припухает.
Вот что, друзья, из-за любовь бывает.

* * *

Я — мальчишка-шоферишка.
Что сказать еще?
А еще машин наладчик.
Вот, пожалуй, все.

Ремонтировать машины
Мне совсем не лень.
За одиннадцать с полтиной
Кручусь целый день.

Раз пошел я к другу Саше
Позднею порой.
Познакомил меня Саша
С девушкой одной.

Как порядочный мальчишка,
Я благодарю.
На нее, как на машину,
Сразу же смотрю.

Буфера стоят ли прочно
У ней впереди?
Не пробит ли карбюратор
Кем-нибудь другим?

Первым делом поднимаю
У нее капот
И насосом продуваю
Бензинопровод.

И идет моя машина —
Чики-чики-раз,
Лишь глушитель выпускает
Очень скверный газ.

ДОМОВОЙ

Колокольчики-бубенчики звенят:
Рассказать одну историю хотят,
Как люди женятся и как они живут —
Колокольчики-бубенчики споют.

Как у нашей у соседки молодой
Старый муж был, весь изношенный, седой.
Все силенки он отдал на стороне —
Не оставил ничего своей жене.

А напротив жил парнишка молодой.
Не сводил он нежных глаз с бабенки той.
И она была не против пошутить,
Но боялась только мужу изменить.

Вот однажды муж приходит, говорит:
«Ох, родная, нам разлука предстоит.
Уезжаю не надолго — на три дня.
Так смотри же не балуйся без меня!»

Муж уехал. На диван она легла,
Долго думала, уснуть все не могла.
Только слышит слабый шорох — Боже мой! —
Кто-то гладит ее ласковой рукой.

Испугалась и на первых на порах
Разобраться не могла она впотьмах,
А он шепчет: «Ты не бойся, ангел мой,
Не мужчина я, а добрый домовой».

Приходил к ней так две ночки домовой.
А под утро уходил к себе домой.
А на третью оказалось — ну и что ж?! —
Домовой-то на соседа был похож.

Ох, мужчины, кто так немощен и слаб,
Не бросайте вы надолго ваших баб!
А как бросишь, тогда жалобно не вой —
В доме сразу заведется домовой.

* * *

Ереванский луна
Выходил из небес.
Выходил на балкон
Молодой Ованес.

Припев
Вай, вай, вай,
Вай, вай, вай.

Выходил на балкон,
На конюшня глядел.
А в конюшня ишак
Жирным жопом вертел.

Припев

Не стерпел Ованес —
Развязал свой кушак
И, как звер, налетел
На невинный ишак.

Припев

Долго бились они
На крутом берегу.
Наконец Ованес
Засадил ишаку.

Припев

Ереванский луна
Низко плыл по небес.
Выходил на балкон
Пожилой Ованес.

Припев

Выходил на балкон,
На конюшня смотрел,
А в конюшня той сын
Над ишаком потел.

Припев

Не стерпел пожилой —
Снял со стенки кинжал
И зарезал, убил
Обоих наповал.

Припев

А наутро в саду
Были трупы и кров.
Мы поем этот песн
Про армянский любов.

Припев
Вай, вай, вай, вай, вай, вай-вай,
Вай, вай, вай, вай, вай.

* * *

По темным улицам Кронштадта
Шел, спотыкаясь, капитан —
Изрядно пьян.

Ему навстречу шла Елена —
Его законная жена
Была пьяна.

«Ах, здравствуй, милая Елена,
Пойдем квартиру нанимать,
Ебена мать!»

«Мне не нужна твоя квартира,
Я наняла себе избу,
Пошел в пизду!»

По темным улицам Кронштадта
Шел, спотыкаясь, капитан —
Был сильно пьян.

* * *

Жила на Москве героиня романа,
Из старых дворянских семей.
Ее называли Каренина Анна,
Аркадьевна — отчество ей.

Работать она не имела охоты —
С пагубной страстью в груди.
Та бедная дама жила без работы,
Сгорая от тяжкой любви.

Явился тут Вронский, большущий пройдоха
И белый к тому ж офицер.
Его воспитала другая эпоха,
И жил он не в СССР.

И бедная Анна пошла до вокзала
И гордо легла на пути...
Ее в те ужасные дни капитала
Никто не подумал спасти.

Вот так погибают пустые,
Познавшие царский режим.
А мы в завершающий год пятилетки
Не миримся с фактом таким.

Подайте, братишки, подайте,
Подайте хоть хлеба кусок.
У этой Карениной Анны
Остался малютка сынок.

Ведь он воровать не имеет охоты,
Забытый от всех от людей...
Подайте, братишки, подайте,
Вас просит Каренин Сергей.

* * *

Как у тети Нади
Все сестренки бля... бля...
Ох, что?! Ничего —
Бляхами торгуют.

Как из гардероба
Высунулась жо... жо...
Ох, что?! Ничего —
Желтая рубашечка.

Как у дяди Луя
Потекло из ху... ху...
Ох, что?! Ничего —
Из худого чайника.

Как на тротуаре
Три старушки сра... сра...
Ох, что?! Ничего —
С радости плясали.

ЦЫПЛЕНОК ЖАРЕНЫЙ

Цыпленок вареный,
Цыпленок жареный
Пошел по улице гулять.
Его поймали,
Арестовали,
Велели паспорт показать.

Паспорта нету —
Гони монету.
Монеты нет — снимай пиджак.
Цыпленок вареный,
Цыпленок жареный,
Цыпленка можно обижать.

Паспорта нету —
Гони монету.
Монеты нет — снимай штаны.
Цыпленок вареный,
Цыпленок жареный,
Штаны цыпленку не нужны.

Он паспорт вынул,
По морде двинул,
А вслед за тем пошел в тюрьму.
Цыпленок вареный,
Цыпленок жареный,
За что в тюрьму и почему?

Я не советский,
Я не кадетский,
Я не народный большевик!
Цыпленок вареный,
Цыпленок жареный,
Цыпленок тоже хочет жить.

* * *

У девушки с острова Пасхи
Украли любовника тигры.
Украли любовника
В мундире чиновника
И съели в саду под бананом.

У девушки с острова Пасхи
Был муж в одеянье для пляжа.
Поймали несчастного,
Порвали на части его
И съели в саду под бананом.

У девушки с острова Пасхи
Родился коричневый отпрыск.
Схватили и этого,
Совсем неодетого,
И съели в саду под бананом.

Банан запаршивел и высох.
А тигры давно облысели.
Но каждую пятницу,
Лишь солнце закатится,
Кого-то жуют под бананом.

* * *

Ночь туманная такая,
А вокруг темно,
Мальчик маленький стоит,
Мечтая об одном.
Он стоит, к стене прижатый
И на вид чуть-чуть горбатый,
И поет на языке родном:

«Друзья, купите папиросы,
Подходи, пехота и матросы,
Подходите, не робейте,
Сироту, меня согрейте.
Посмотрите, ноги мои босы!
Подходите, покупайте,
Сироту вы выручайте,
Посмотрите, ноги мои босы.
Мой отец в бою нелегком
Жизнь свою отдал.
Мою маму под Одессой
Немец расстрелял.
А сестра моя в неволе,
Сам я вырос в чистом поле.
Потому и зренье потерял.
Друзья, ведь я совсем не вижу,
Белый свет душой я ненавижу,
Где б мне Богу помолиться,
Сироте где приютиться?
А ведь мне всего лишь восемь лет.

Друзья, купите папиросы,
Подходи, пехота и матросы,
Подходите, не робейте,
Сироту, меня согрейте.

Посмотрите, ноги мои босы!
Подходите, покупайте,
Сироту вы выручайте,
Посмотрите, ноги мои босы».

ПЕСЕНКА О КОЗЛЕ

В нашей песне странные герои.
Но поверьте басням иногда.
Десять лет прожил Козел с Козою,
Но однажды с ним стряслась беда.
По двору скакал Козел галопом,
Под окном увидел он журнал,
В нем портрет красотки Антилопы
Он совсем случайно увидал.
И сказал Козел: «Ме-е...
Жил я как во тьме-ме-е...
Ты открыла мне глаза.
Надоела мне Коза.
В Африку пойду
Найду!»
Прихватив журнал, Козе — ни слова:
Мол, не ожидай и позабудь,
Не предвидя ничего дурного,
Он тотчас пустился в дальний путь.
Тропик Рака, Тропик Козерога
Наш герой отважно пересек,
И в мечтах о юной, тонконогой
К Африке он привязал челнок.
И сказал Козел: «Ме-е... —
Сидя на корме-ме-е —
Африканский знойный край
Для влюбленных просто рай.
Здесь ее пойду
Найду!»
Не терял влюбленный время даром.
Антилоп он встретил на пути.
Подошел с почтеньем к самой старой:
«Помогите мне ее найти».
Головой старуха покачала:
«Ты приехал, милый, невпопад:

Это я снималась для журнала
Ровно сорок лет тому назад».
И сказал Козел: «Ме-е...
Я не пониме-ме-е...
Ах, конфуз какой, скандал —
Лет на сорок опоздал!
Дайте за труды
Воды».
Месяц плыл таинственно и тихо...
В феврале тридцатого числа
Письмецо от любящей Козлихи
На хвосте Сорока принесла:
«Пишут мне, что ты успел влюбиться
В африканку Антилопу Гну.
Если это только подтвердится,
Я тебя в бараний рог согну».
И сказал Козел: «Ме-е...
Дело не в письме-ме-е...
Надоели пальмы мне.
Не вернуться ли к жене?
Ждет меня жена
Коза».
Вот пришел Козел к Козе с поклоном,
На возврат полгода потеряв,
И пропел ей нежным козлетоном:
«Дорогая, я люблю тебя».
Та в ответ: «Не верю я слезам уж.
Вещи я свои перенесла.
Я совсем недавно вышла замуж
За другого, юного Козла».
Наш герой свалился у порога:
«Дорогая, ты в своем уме?!»
Он хотел сказать ей очень много,
Но не мог сказать ни бе ни ме.
Так и не сказал «бе-е»,
Так и не сказал «ме-е».
Вот мораль у этих строк:
Не влюбляйся в антилоп,
А люби жену — Козу.

СКВОРУШКА

В саду на ветке пел веселый скворушка.
Машутку звал на лесенку Егорушка:
«Ты выйди, выйди, Машенька, на лесенку,
Послушаем мы скворушкину песенку».

Ну что, право слово,
Чего же в том дурного?
Послушаем мы песенку,
И больше — ничего.

Все так же заливался звонкий скворушка.
Но четко дело знал и наш Егорушка:
Дарил он ей серебряно колечико
И крепче прижимал ее за плечико.

Ну что, право слово,
Чего же в том дурного?
Он жал ее за плечико,
И больше — ничего.

Все громче заливался звонкий скворушка.
Смелее становился наш Егорушка.
«Уйди, Егорка, ох-ты, ах-ты, ойшечки! —
Порвал мне все оборочки на кофточке».

Ну что, право слово,
Чего же в том дурного?
Оборочки на кофточке,
И больше — ничего.

Узнали б до конца вы эту песенку,
Но мамка прибежала к ним на лесенку,
Вспугнула мамка бедненького скворушку,
Метелку обломала об Егорушку.

Ну что, право слово,
Чего же в том дурного?
Метелку об Егорушку,
И больше — ничего.

* * *

Коперник целый век трудился,
Чтоб доказать Земли вращенье.
Чудак, зачем он не напился?
Тогда бы не было сомненья.
Так наливай, брат, наливай
И все до капли выпивай!
Вино, вино, вино, вино —
Оно на радость нам дано!

Исак Ньютон всю жизнь трудился,
Чтоб доказать тел притяженье.
Чудак, зачем он не влюбился?
Тогда бы не было сомненья.
Так наливай сосед соседке,
Соседка тоже пьет вино,
Непьющие соседки редки —
Они повывелись давно!

Колумб Америку открыл,
Страну для нас совсем чужую.
Чудак, зачем он не открыл
На нашей улице пивную?
Так наливай, брат, наливай
И все до капли выпивай!
Вино, вино, вино, вино —
Оно на радость нам дано!

ЗАЧЕМ ТЫ ИЗМЕНИЛА

Сидели мы на крыше,
А может быть — и выше,
А может быть — на самой на трубе.

Припев
Зачем ты изменила,
Другого полюбила,
Зачем же ты мне шарики
Крутила?

Привел я тебя, босую,
В тряпье, простоволосую,
И целый день в порядок приводил.

Припев

Купил я тебе боты,
И платье с коверкота,
И туфли на резиновом ходу.

Припев

Прожили мы немало,
Три койки поломали,
А на четвертой триппер подхватил.

Припев
Зачем ты изменила,
Другого полюбила,
Зачем же ты мне шарики
Крутила?

ВЕТЕР ВИНОВАТ

Какой проказник все же этот ветер!
Зачем его пускают в Ленинград?
Вот мы идем, и нас слегка качает.
И в этом только ветер виноват.

Не пью я пиво и не пью вино,
А водка для меня — ну просто яд!
И если я опять сижу в пивной,
Так в этом только ветер виноват.

А в общежитье пить не разрешают
И женщин приводить нам не велят.
И если утром выйдет блядь какая,
Так в этом только ветер виноват.

От общежития до института
Пивточки выстроились в ряд.
И если мы опять немножко пьяны,
Так в этом только ветер виноват.

А гастроном заманчиво мигает:
«Зайди скорее в гости, милый брат».
И если мы опять полбанки взяли,
Так в этом только ветер виноват.

Два раза в год экзамены бывают,
Но это пусть заботит деканат
И если мы экзамены завалим,
Так в этом только ветер виноват.

* * *

Изба-читальня,
Второй этаж.
Там буги-вуги
Лабает джаз.

Мы все за мир,
И мир за нас.
Кто против мира,
Мы вырвем глаз.

Стиляга Робсон
Взял саксофон,
И песнь о мире
Заводит он.

Москва, Калуга,
Лос-Анджелос
Объединились
В один колхоз.

В колхозе этом
Живет одна.
Во имя мира
Дает она.

Колхозный сторож
Иван Кузьмич
Во имя мира
Пропил «Москвич».

Мы все — стиляги,
И мир за нас.
В защиту мира
Лабает джаз.

* * *

На любовном на свиданье смелым надо быть.
С ходу нежность и лобзанья надо раздобыть.
Коль смелость есть — хвала и честь, —
Твоих побед не перечесть, не перечесть.

Припев
Ах, эти женщины нас обожают.
Хотя иные об этом лишь мечтают.
Если у женщины жар в груди,
Счастье с ней будет впереди.

Если сердится каналья и кричит «злодей!» —
Вы тогда ей предложите двадцать пять рублей.
Она взглянет, потом вздохнет,
Но деньги все-таки возьмет, возьмет, возьмет!

Припев

Если девушка сказала «дураком не будь!»,
Ухвати рукой за талью, а другой за грудь.
И свет гаси, любви проси,
И нежно девушку за пальчик укуси.

Припев

Но бывает и такое — черт их разберешь —
Ни словами, ни деньгами ты их не возьмешь.
Не будь дурак, скажи ей так,
Скажи, что хочешь с ней вступить в законный брак.

Припев

На любовном на свиданье смелым надо быть.
С ходу нежность и лобзанья надо раздобыть.

Коль смелость есть — хвала и честь, —
Твоих побед не перечесть, не перечесть.

Припев
Ах, эти женщины нас обожают.
Хотя иные об этом лишь мечтают.
Если у женщины жар в груди,
Счастье с ней будет впереди.

* * *

В одном из дворянских поместий
Жил Лев Николаич Толстой.
Он ни рыбки, ни мяса не кушал,
Ходил по усадьбе босой.

Жена ж его Софья Андревна,
Обратно, любила поесть.
Она босиком не ходила —
Сохраняла дворянскую честь.

В своем великолепном именье
Любил принимать он гостей.
К нему приезжали славяне
И негры различных мастей.

Теорию непротивленья
Он миру хотел передать.
Об этом сейчас без волненья
Никак невозможно читать.

С правительством был он в треньях,
Зато у народа кумир.
Писал он роман «Воскресенье»,
А вскорости «Война и мир».

Геройски на фронте сражался,
Ордена и медали привез,
А роман его «Воскресенье»
Читать невозможно без слез.

Там девушку Катю косую
Один дворянин обижал.
Он с ней обещал расписаться —
С другою уехал на бал.

Однажды моя бедная мама
На графский зашла сеновал.
Случилась ужасная драма:
К ней Лев Николаич пристал.

Вот так разлагалось дворянство.
Вот так разрушалась семья.
В результате такого упадка
На свет появился и я.

Так подайте, подайте, граждане, —
Я его незаконнорожденный сын!
Не дайте погибнуть калеке —
В живых я остался один.

* * *

У бабушки под крышей сеновала —
Там курочка спокойно проживала.
Жила она не ведая греха,
Да только полюбила петуха.

Наш Петенька красивый сам собою,
Носил он даже шпоры за собою.
Он ноженьками часто топал-топал
И крылышками громко хлопал-хлопал.

«Пойдем со мной, хохлатушка, за реку,
И я спою тебе там «кукареку».
За речкою так весело и тихо.
Растет там даже просо и гречиха».

Послушалась хохлатка петуха.
А там уже не долго до греха.
Ей Петенька тотчас подставил ножку.
Испортил нашей курочке прическу.

Девочки, совет даю я вам:
Не верьте вы, хохлатки, петухам.
Не ходите вы гулять за реку,
Не то споют вам тоже «кукареку».

* * *

Утону ли я в Северной Двине
Иль погибну как-нибудь иначе,
Страна не пожалеет обо мне,
Но обо мне товарищи заплачут.

Не будет утром траурных газет.
Подписчик обо мне не зарыдает.
Уйду от вас, как в горы Алитет.
Привет я шлю целинникам Алтая.

Я никогда не ездил на слоне.
И не носил по тюрьмам передачи.
Страна не пожалеет обо мне,
Но обо мне все девушки заплачут.

ЧЕТЫРЕ ЗУБА

Цилиндром на солнце сверкая,
Надев самый лучший сюртук,
По Летнему саду гуляя,
С Маруськой я встретился вдруг.

Гулял я четыре с ней года,
А после я ей изменил.
Но вскоре в сырую погоду
Я зуб коренной застудил.

От этой немыслимой боли
Три дня я безумно страдал,
К утру, потеряв силу воли,
К зубному врачу побежал.

За горло схватив меня грубо,
Скрутив мои руки назад,
Четыре здоровые зуба
Он выхватил с корнем подряд.

Четыре здоровых не стало...
И я, как безумный, рыдал.
Под маскою врач хохотала —
Я голос Маруськин узнал.

«Тебя я безумно любила,
А ты поступил как палач,
Теперь я тебе отомстила,
Изменник и подлый трепач!

Тебе отомстила за это,
Клади свои зубы в карман,
Носи их в кармане жилета
И помни свой подлый обман!»

РЫЖАЯ

Обязательно, обязательно,
Обязательно женюсь.
Обязательно, обязательно
Возьму жену на вкус.
Чтоб она была ровно семь пудов
И пыхтела как паровоз.
Обязательно, обязательно
Чтоб рыжий цвет волос.

Припев
Рыжая, рыжая,
Ты всех других милей,
Рыжая, рыжая,
Свела с ума парней.
Рыжая, рыжая,
За что ее ни тронь,
Рыжая, рыжая,
Везде она огонь.

А блондиночки как картиночки,
Холодны всегда как лед,
Что им хочется, что им колется,
Никто не разберет.
Чтоб таких разжечь, положи на печь
И сожги полтонны дров,
Ты ее ласкать, а она искать
По стене начнет клопов.

Припев

А брюнеточки — все кокеточки,
Хороши, пока юны.
Ну а в тридцать лет ничего уж нет,
Ни к черту не годны.

А шатенок сорт — тот же самый черт:
Хороши, пока юны,
Состарятся, развалятся —
Ни к черту не годны.

Припев
Рыжая, рыжая,
Ты всех других милей,
Рыжая, рыжая,
Свела с ума парней.
Рыжая, рыжая,
За что ее ни тронь,
Рыжая, рыжая,
Везде она огонь.

* * *

Это было под городом Римом,
Там служил молодой кардинал.
Утром в храме махал он кадилом,
По ночам на гитаре играл.

Теплый дождик прошел в Ватикане.
Кардинал собрался по грибы,
И заехал он к римскому папе:
«Папа, папа, ты мне помоги!»

Папа быстро с лежанки сорвался,
Натянул свой узорный пиджак,
И напялил чугунную митру,
И спустился на нижний этаж.

Кардинала он обнял рукою:
«Не ходи в Колизей ты гулять,
Я ж тебе незаконный папаша,
Пожалей свою римскую мать!»

Кардинал не послушался папы
И пошел в Колизей по грибы.
Там он встретил монашку младую,
И забилося сердце в груди.

Кардинал был красив сам собою,
И монашку сгубил кардинал,
Но не долго он с ней наслаждался —
Он под утро сеструху узнал.

Тут порвал кардинал свою рясу
И кадило разбил в порошок,
Утром рано свалил с Ватикана
И на фронт добровольцем пошел.

Он за родину честно сражался,
Своей жизни совсем не щадил.
Сделал круглым меня сиротою —
Он папашей и дядей мне был.

Я за Родину тоже сражался,
Завсегда был я первым в бою,
Но однажды мне пуля-злодейка
Отстрелила способность мою.

Дорогие мамаши, папаши,
Я жестоких сражений герой.
Вас пятнадцать копеек не устроит,
Для меня же доход трудовой.

* * *

Девушка, можно ли вас?
Можно ль такому случиться —
Раз, ну один только раз...
Вас повстречать и влюбиться.

Можно ли, вспыхнувши вдруг
Страстью своею живою,
Можно ли вынуть из брюк...
Ваше письмо заказное?

Можно ли вам прочитать,
Что в нем написано было?
Вы обещали мне дать...
Клятву любви до могилы.

Вместе, отбросивши стыд,
В парк удалимся мы сонный.
С вечера мой уж стоит...
Там экипаж запряженный.

Можно ли вам поутру
Среди кустарников темных,
Можно ль пробить вам дыру...
В дубе для писем любовных?

Девушка, можно ли вас?
Можно ль такому случиться —
Раз, ну один только раз...
Вас повстречать и влюбиться.

* * *

Милые братья и милые сестры,
Я в вашей поддержке нуждаюся остро:
Слепой и глухой, обратите вниманье,
Нет обоняния, нет осязанья...
Слепой и глухой, обратите вниманье —
Совсем обоняния нет!

Взгляните, рабочий, колхозник и частник,
Я войн всех последних активный участник:
Я бился с врагами за правое дело,
На мелкие части порублено тело.
Я бился с врагами за правое дело —
Порублено тело на мне!

И екает сердце на каждом шагу,
Нет языка — говорить не могу,
Нету и ног: не хожу в туалет —
Этой с рожденья возможности нет.
Нету и ног: не хожу в туалет —
Этой возможности нет!

Родился безногим, родился безруким,
Товарищеский суд меня взял на поруки,
Злодейка судьба вечно душу мне гложет...
Подайте, подайте же, кто сколько может!
Злодейка судьба вечно душу мне гложет —
Подайте несчастному мне!

* * *

Задумал я, братишечки, жениться.
Пошел жену себе искать.
Нашел красотку озорную
Годков под восемьдесят пять.

Красотка была лакомый кусочек,
Хоть велики ее года:
Из уха сыпался песочек,
Из носа капала вода.

И вот уже пришли на свадьбу гости.
Вино, закуска на столе.
Вдруг замечаю: у красотки
Одна нога на костыле.

Я ночью загляну к своей красотке,
И захвачу я старую пилу.
И только как уснет моя красотка,
Так я ей эту ногу отпилю.

Ох, что же я, братишечки, наделал?
Ох, что же я, ребятки, натворил?!
Ведь я ей вместо деревянной
Живую ногу отпилил.

Задумал я, братишечки, жениться.
Пошел жену себе искать.
Нашел красотку озорную
Годков под восемьдесят пять.

Дорогие читатели!

Вы держите в руках наиболее полный сборник уличных песен, опубликованный на русском языке, на сегодняшний день. Конечно, я понимаю, что вне поля моего зрения осталось немало песен, я понимаю, что некоторые песни вы знаете и поете в ином варианте, чем в книге. Мне тоже известны варианты многих песен, но я не стала их все включать в книгу, остановившись лишь на некоторых. Я также не включала в сборник те песни, авторы которых мне известны. Это уже авторские песни. Конечно, у каждой песни есть автор, и, возможно, вы знаете, кто написал какую-либо из песен сборника. Я с большой радостью узнаю это, если вы мне напишете. Я буду рада, если вы пришлете мне другие, не включенные в сборник, песни.

Обращаюсь я к вам еще и потому, что мне хотелось с вашей помощью узнать полные тексты некоторых песен, которые я слышала в юности, но, к сожалению, тогда я еще не собирала их и не записала. В памяти остались только отдельные части, куплеты, строки. Вот они:

САДКО

С гондонами из Индии
Купцы свершали путь.
Попали они в бурю,
Кораблик стал тонуть.

Припев
Ах, тирирумба ха-ха!
Ах, тирирумба ха-ха!
Попали они в бурю,
Кораблик стал тонуть.

Три дня не унимается,
Бушует океан.

Как хуй в пизде, болтается
Кораблик по волнам.

Припев
Ах, тирирумба ха-ха!
Ах, тирирумба ха-ха!
Как хуй в пизде, болтается
Кораблик по волнам.

В каюте класса первого
Садко, богатый гость,
Гондоны бьет об голову,
Срывает на них злость.

Припев

— Ох, слуги, слуги верные,
Послушайте меня!
Три бочки водки ебнули,
А толку ни хуя.

Припев

Ах, братцы вы матросики!
Ах, мать вашу ети!
Давайте жребий бросим мы,
Кому на дно идти!

Припев

Предсмертный жребий выброшен,
И пал он на Садко.
Со смеху усирается
Дружинушка его.

Припев

И вот он собирается,
Берет свой чемодан.

А в нем гондонов дюжина
И книга — Мопассан.

Припев

На мачту он взбирается
И в океан — бултых!
Мелькнули жопа с яйцами,
И океан затих.

Припев

Летел он ясным соколом,
А ебнулся как сноп.
И только окунулся,
Увидел сотню жоп.

Припев

Увидел он картиночку,
Достойную пера:
Невинную сардиночку
Ебут два осетра.

Припев

И вот Садко на дне морском,
Как ебаный стоит.
К нему, виляя сракою,
Огромный кит летит.

Припев

Садко не растерялся,
Кита за жопу хвать:
— Скажи мне, чудо-рыба,
Как мне к царю попасть?

Припев

И отвечает кит ему:
— Доедем как-нибудь!
Поел-попил, посрал-поссал
И двинул в дальний путь.

Припев

А как их встретил морской царь, и как в Садко влюбилась его дочь, и что было дальше, не помню.

СОБРАНИЕ ЗВЕРЕЙ

На опушке под сосной
Собрался народ лесной.
Вошки, блошки, мандовошки,
....
....

Кот без хуя после драки,
Оторвали ему собаки.
Хитромудая змея —
В общем, было до хуя.
Лев, лесной законодатель,
Был и здесь их председатель,
Прямо так и заявил:
— На опушке не курите, не ебаться!
Только он проговорил,
Как козел козе всадил.
....
....

Белка бегает по лесу,
Бздит и делает завесу.
Целку хочет сохранить,
Не дает волку всадить.
Тут в их спор вмешался еж:
— Что ты, сука, не даешь!
Я видал, под бугорком
Переморгнулась ты с хорьком.
....

Лев, смотря на ту картину,
Вынул хуй наполовину,
Стал к жирафе подходить.
Но жирафа была дама,
И сказала она льву прямо:
— Не тебе меня ебать,
Сукин сын, ебена мать!
....

АДАМ И ЕВА

....

Первым Бог создал Адама,
Но случись такая драма.
У Адама шишка — во!
Но вопрос: ебать кого?
....
....

Ты иди сюда, Адам,
И тебе кусочек дам.
....
....

Бог достал свой телескоп:
«Что за странный носорог
Появился в райском саде?
Жопа спереди и сзади».
Смотрит Бог и не поймет,
Кто кого в кустах ебет.
....
....

Я надеюсь с вашей помощью составить новую, более полную книгу уличных песен. Если пожелаете, мы укажем, кто и какую песню прислал нам.
Жду ваши письма по адресу: 113184, Москва, ул. Пятницкая, 52, издательство «Колокол-пресс».

Ахметова Т.В.

СОДЕРЖАНИЕ

ЛОДОЧКА БЛАТНАЯ

СИЖУ НА НАРАХ

СКОРО КОНЧИТСЯ СРОК

МИЛАЯ ОДЕССА-МАМА

ЛЮБВИ ОКУТАН АРОМАТОМ

ЕЕ ЛЮБОВЬ ПОГУБИЛА

НОЧНАЯ БАБОЧКА

ДЕВУШКА ИЗ ТАВЕРНЫ

ВСЕ РАВНО ВОЙНА

УЛИЧНЫЕ ПЕСНИ

Составитель *Татьяна Васильевна Ахметова*

Редактор *А.Сергеев*
Художественный редактор *И. Солодов*
Технический редактор *Е. Крылова*
Корректор *Л. Топорова*

Набор осуществлен составителем

Изд. лиц. ЛР № 040020 от 07.02.97 г. (Издательство «Колокол-пресс»)
Изд. лиц. ЛР № 065372 от 22.08.97 г. (ЗАО «Издательство «Центрполиграф»)
Подписано в печать с готовых диапозитивов 16.12.99.
Формат 84x108 1/32. Бумага газетная. Печать офсетная.
Гарнитура «Таймс». Усл. печ. л. 25,2. Уч.-изд. л. 24,6.
Тираж 8000 экз. Заказ № 4959.

Издательство «Колокол-пресс»
113184, г. Москва, ул. Пятницкая, д. 52, стр. 1

ЗАО «Издательство «Центрполиграф»
111024, Москва, 1-я ул. Энтузиастов,15
E-MAIL: CNPOL@DOL.RU

Отпечатано с готовых диапозитивов в государственном издательско-полиграфическом предприятии «Зауралье».
640627, г. Курган, ул. К. Маркса, 106.